文史哲學集成

蔣子駿 著

辛亥革命與臺灣早期抗日運動

（西元一九一一－一九一五）

文史哲出版社 印行

辛亥革命與臺灣早期抗日運動(1911-1915) /
蔣子駿著.-- 初版. --臺北市：文史哲，民
97.09 印刷
頁： 公分.（文史哲學集成；227）
參考書目：頁
ISBN 978-957-547-429-4 (平裝)
1.中國辛亥革命問題 2.臺灣–歷史

628.1

文史哲學集成 227

辛亥革命與臺灣早期抗日運動

著者：蔣子駿
出版者：文史哲出版社
http://www.lapen.com.tw
e-mail：lapen@ms74.hinet.net
登記證字號：行政院新聞局版臺業字五三三七號
發行人：彭正雄
發行所：文史哲出版社
印刷者：文史哲出版社
臺北市羅斯福路一段七十二巷四號
郵政劃撥帳號：一六一八〇一七五
電話886-2-23511028・傳真886-2-23965656

實價新臺幣四〇〇元

中華民國七十九年（1990）二月初版
中華民國九十七年（2008）九月 BOD 初版一刷

ISBN 978-957-547-429-4

辛亥革命與臺灣早期抗日運動 目次

（西元一九一一——一九一五）

插圖目次

謝　序

中華民族，是愛好和平的民族。所建立的中國，是崇尚公理，伸張正義，不欺人、也不受人欺侮的國家。中國的國民，守分守紀，盡職盡忠，不驕不餒，不卑不亢。愛人愛己、推己及人。過着勤奮耕耘，自勉自律，守望相助，和親睦鄰的安和生活。因此，中國人在世世努力、代代經營的傳統理念之下，創造出悠久的歷史，燦爛的文化。歷久彌堅，綿延不輟。

中國自黃帝立國，及今已歷五千春秋。曾創興漢唐盛世，立協和萬邦之功，無窮兵黷武之過。其間也曾經歷大小不同之變亂，遭致些輕重不同之內憂外患。但其如詩大雅所云：「周雖舊邦，其命維新」。國人確能「因時制宜」，把握「萬變不離其宗」之旨，本傳統理念，兢兢業業，努力不懈，皆能化險爲夷，轉危爲安。如今已成爲世界上碩果僅存的最悠久，而又最新穎的特殊文化大國。中國人的這些作爲，都是從中華民族愛好和平的基本精神，沿承自立自強的準則所發展出來成果。國父孫中山先生所創造的三民主義：「以建民國，以進大同」之宏規，倡導「和平奮鬥救中國」的名訓，便是最好明證。

中國在近百餘年來，發生了最嚴重的內憂與外患，其因滿清政府的昏庸與腐敗，導致國家瀕臨亡國滅種的危殆邊緣。幸有歷史的啓示與憑藉，促使「時勢英雄」的奮起，力挽狂瀾，中國乃得避免列強瓜分的命運，繼續亮起民族光輝的明燈。

馬關條約，是人間的彗星。它不但危害了中國，也壯大了日本軍閥的野心，撒下第二次世界大戰的種子，造成太平洋地區國家，陷入兵燹戰火的浩刼中，生靈塗炭，死傷無算，這眞是人世間的一場大悲劇。不幸的臺灣，便是在該項條約的箝制下，由無能的昏庸滿清政府，拱手割讓給日本軍閥。從此，無辜的臺胞，便在日人的殘酷暴虐的統治下，苦度了五十年的奴隸歲月。

臺灣是中國的領土，臺胞是中國的國民，繼承中華民族的歷史文化，保有中華民族的浩然正氣。其誰能坐視河山變色，而肯甘心屈膝奴顏事敵呢？所以臺灣在日人的暴力統治下，臺胞不斷地奮起抗暴，爭取正義的和平，發揚　國父和平奮鬥救中國的大志，自是順理成章的正事。

蔣子駿先生，潛心研究中國近代史，更精心探討臺灣民族革命史實，前曾著有「羅福星與臺灣抗日革命運動之研究」，闡述臺胞伸張民族大義的革命事略。燦爛輝煌，感人肺腑。今又撰「辛亥革命與臺灣早期抗日運動」鉅著，闡述—國父孫中山先生領導國民革命與臺灣之關係，列舉臺胞歷次抗暴犧牲奮鬥之英勇史蹟，並指出臺灣與大陸，血肉相連，息息相關的本質，更提醒今日在臺軍民，均應有同舟共濟，效法先烈，完成國民革命大業的雄心壯志。企盼國人應以民族大義爲本，以國家富強爲先，以民主法治與全民福祉爲依歸，切勿因私心私利產生紛岐思想，阻礙臺灣前途發展，影響三民主義統一神州大業之進程。其高瞻遠矚之卓見，與犀利忠誠之史筆，引人入勝，助人深思，有感於斯，爰爲之序。

民國七十八年光復節**謝佐德**書于鳳山顯惠廬

自序

辛亥革命對臺灣抗日運動影響之研究，在探討　國父孫中山先生領導革命與臺灣之關係，中日甲午之戰，清廷失敗，簽訂馬關條約，將臺灣割讓日本，不但國內有志之士反對，台灣士紳更加反對。他們組織義勇軍抗日，「願人人戰死而守臺，絕不願拱手而讓臺」。可見國內志士及臺灣士紳都不願將臺灣割讓給日本。臺灣與大陸同胞：是同文、同種、血脈相連、息息相關的。有臺灣、大陸才有保障；有大陸、臺灣才有前途。所以凡是有血性、有良知的中國人，都不願臺灣與大陸分離。　國父領導國民革命，即基於此種原因。　國父在檀香山成立興中會時，就提出「恢復臺灣，鞏固中華」的主張，號召海內外愛國志士，推倒滿清政府，驅逐日寇，而達到「恢復臺灣，鞏固中華」的革命目的。臺灣與大陸同胞都是炎黃子孫，臺胞不應該受到日本之暴虐統治，臺籍志士深受　國父辛亥革命的影響，紛紛起來抗日，結合祖國革命力量，反抗日本在臺之統治。後來先總統　蔣公繼承　國父革命大業，領導全國軍民，經過八年浴血抗戰，獲得最後勝利，日本無條件投降，臺灣光復，而達成國人及臺胞的心願。

筆者有鑑於臺灣光復之不易，提醒大家今日在臺灣不可有紛歧思想，應該同舟共濟，克服困境，效法先烈先賢犧牲流血光復臺灣之精神，不分地域、省籍、種族，共同奮鬥，以期早日完成革命大業。作者本此要旨，而從事本文之研究，多年來奔波全省各地圖書館、書局及黨史會、臺灣省及臺北市文獻會等處甚至利用觀光在日本東京較大圖書公司蒐集有關史料，總算完成了此篇不成熟的拙作。不可諱言的，雖然蒐集的史料不算少，但仍感不足的是缺乏第一手資料。主要的原因，時過境遷，囿於當時環境限制，就臺籍人士而言，很難獲得確實資料。想要引用日方留下的檔案，則日人多已煙滅，並未完全保留下來；即使有的話，也是殘缺不全。作者本著客觀的態度，依據蒐集之史料，作爲比較、分析、歸納研究史實的方法，而完成此篇拙作。

本書內容，共分六章，第一章緒論，敍述臺灣與中國大陸原爲一體，臺灣同胞自始至終都是反對異族侵略，與祖國根本是分不開的。第二章臺灣與大陸密切的關係，敍述臺灣與大陸無論是血緣、地緣、歷史和文化，都有密切的關係，此種史實是無法否認的。第三章臺灣抗日的起因，甲午戰敗，臺灣割讓日本，政治上受到壓迫，經濟上受到剝削，教育上受到歧視，法律上得不到公平。我臺胞實在無法忍受，所以要抗日。第四章國民革命與臺灣的關係，敍述國民革命的目的是在恢復國土、鞏固中華、臺籍志士在臺抗日及大陸同胞起來革命，追求的目標完全一致，主要在使臺胞脫離日本統治，重回祖國懷抱，而達成革命的目的。第五章辛亥革命對臺灣抗日之影響，辛亥革命成功，鼓舞臺胞抗日之信心，臺籍志士在臺抗日事件之發生，層出不窮，不達目的，絕不終止。第六章結論，臺灣光復，是臺籍志士及大陸同胞共同奮鬥的結果，體念臺灣光復之不易，應恪遵「國父革命尚成功，同志仍須努力」遺訓；統一中國，絕不能因一時之成就而出現紛歧思想，應有目標、有理想爲整個國家民族利益着想。更應效法先賢先烈奮鬥不懈之革命精神，早日完成反共復國建國之大業。

此篇拙作雖已完成，由於作者深感才疏學淺，如有疎漏或有不妥之處，尚祈先進、學者、專家，不吝予與指正，是幸。

蔣子駿

民國七十八年雙十節
序於高雄縣鳳山市

日據臺灣時期紀年對照表

西曆紀年	中國紀年	日本紀年
一八九五	光緒二一	明治二八
一八九六	二二	二九
一八九七	二三	三〇
一八九八	二四	三一
一八九九	二五	三二
一九〇〇	二六	三三
一九〇一	二七	三四
一九〇二	二八	三五
一九〇三	二九	三六
一九〇四	三〇	三七
一九〇五	三一	三八
一九〇六	三二	三九
一九〇七	三三	四〇

西曆紀年	中國紀年	日本紀年
一九〇八	光緒三四	四一
一九〇九	宣統一	四二
一九一〇	二	四三
一九一一	三	四四
一九一二	民國一	大正一
一九一三	二	二
一九一四	三	三
一九一五	四	四
一九一六	五	五
一九一七	六	六
一九一八	七	七
一九一九	八	八
一九二〇	九	九

一九二一	一〇	一〇
一九二二	一一	一一
一九二三	一二	一二
一九二四	一三	一三
一九二五	一四	一四
一九二六	一五	昭和一
一九二七	一六	二
一九二八	一七	三
一九二九	一八	四
一九三〇	一九	五
一九三一	二〇	六
一九三二	二一	七
一九三三	二二	八
一九三四	二三	九
一九三五	二四	一〇
一九三六	二五	一一
一九三七	二六	一二
一九三八	二七	一三
一九三九	二八	一四
一九四〇	二九	一五
一九四一	三〇	一六
一九四二	三一	一七
一九四三	三二	一八
一九四四	三三	一九
一九四五	三四	二〇

第一章　緒　論

一部臺灣的歷史，可以說幾乎是反對異族統治的歷史，近三百年，科學發達，一日千里，交通工具也隨著時代日新月異不斷地進步，因此縮短了地球上的空間距離，使整個世界上起了很大變化，當然中國和臺灣都受到影響，在中國歷史上最先與中國發生關係的是葡萄牙人，他們向我國明朝政府租了澳門作基地，不但在中國沿海一帶做買賣，並且跑到日本做生意。他們的船隻常常經過臺灣海峽，有一次，他們望見臺灣，像嵌在海裡的一塊翡翠，不禁讚嘆地喊：「福爾摩沙」（Ilha formosa）中文的意思是「美麗之島」，從此以後，西方人管臺灣叫「福爾摩沙」。（註一）跟著葡萄牙人來東方的是西班牙人，他們佔領了菲律賓利用馬尼拉作基地，想和中國、日本人做生意。在葡、西兩國從事商業競爭的時候，過了沒多久，荷蘭人也來了。明神宗三十一年（西元一六〇三年）荷蘭人佔領了澎湖，但是他們只住了十六天，就被明朝的軍隊趕走了。（註二）

明朝天啓二年（西元一六二二年），荷蘭人又來到澎湖，明朝政府得到這個消息後，命

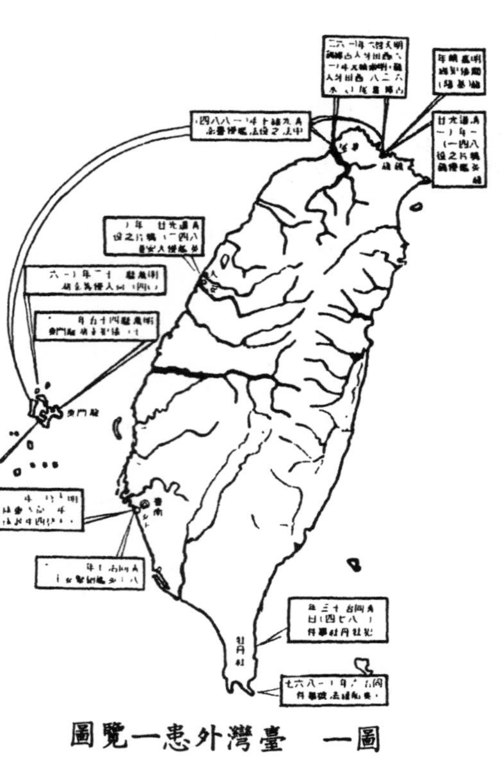

圖一　臺灣外患一覽圖

巡撫南居益帶兵去打荷蘭人，打了半年，荷蘭人答應退出澎湖，但是他們卻把船開到一鯤身（現在的安平）登陸，佔領從安平到台南一帶的地方，他們不但在北線尾設立了東印度公司商館，作爲跟中國人做生意的根據地，並在一鯤身設統治機關。天啓七年（西元一六二七年），荷蘭第三任長官（Pieter Nuyts 一六二七—一六二九年）時，奉命將一鯤身改爲熱蘭遮（Zee landia）城，俗稱赤嵌城、紅毛城、臺灣城或王城。並移北線尾商館於城旁，另在北線尾修造砲臺，以防海上來攻。（註三）臺灣以前可以說是個自由的新天地，沒有什麼類似政府的統治機構，而荷蘭人來後在此設立統治機關，這是在臺灣歷史上第一次出現的統治機構。（註四）

在荷蘭佔領臺灣南部的時候，以菲律賓爲根據地的西班牙人，也侵入臺灣，佔領了臺灣

圖二 荷蘭人建遮蘭地亞城圖

北部，基隆和淡水是臺灣北部兩個重要港口，均被西班牙人佔領，對荷蘭人自然不利，於是荷蘭人與西班牙人就發生了衝突，荷蘭人要西班牙人投降，西班牙人不答應，因此在崇禎二年（西元一六二九年），荷蘭人就出兵去打淡水，沒有打勝，直到明崇禎十五年（西元一九四二年），再度出兵，才把西班牙人趕走。（註五）

荷蘭人把西班牙人趕走，荷蘭人就佔領了整個臺灣。這時候，從內地來臺灣的同胞，已經很多了，他們開發了臺灣南部和西部平原，都有了成就，荷蘭人一來，他們自然受到害處，有一個從大陸來的商人，叫郭懷一，他看不慣荷蘭人欺侮自己的同胞，就在一天晚上，率領了幾千人向荷蘭人進攻，雖然沒有成功，但荷蘭人卻沒法消滅他們。後來，荷蘭人利用傳教士，集合將近兩千個山胞，聯合進攻，才把郭懷一打敗，其部屬四千人遭受殺害。郭懷一志士抗荷雖然失敗，但是我國第一個領導反抗異族暴政的民族英雄，對以後的抗暴運動，有很大的啓發和鼓舞作用。

明永明王十三年（西元一六五九年），鄭成功擁有十七萬兵、三千艘船，開始攻打清兵，一直打到金陵（南京）。在金陵的外圍，遭到兩江總督郎建佐的詐降詭計，因此被打敗，又退守廈門，因廈門太小，沒法發展。鄭成功想找一條出路，找來找去，覺得只有臺灣最合適。就決心光復臺灣，把臺灣當作反清復明的基地。

明萬曆十五年（西元一六六一年），鄭成功讓他的兒子鄭經守廈門，他親自率領了一百多艘船，兩萬五千兵卒，從廈門，金門出發，先打下了澎湖，派陳廣留在那兒防守，然後去臺灣，很順利的登陸臺灣。鄭成功佔領了安平和臺南以後，派人勸熱蘭遮城的荷蘭人投降，荷蘭人不肯，鄭成功就開始攻城，最後終於把城攻破，荷蘭人只好投降。雙方訂立了和平條約之後，荷蘭人就從臺灣撤退，乘船去巴達維亞。（註六）鄭成功在臺灣開始樹立了反清復明的大業，從此開始，臺灣名符其實的由漢人直接控制，廣泛的開拓各種事業，經營這塊海島上的中國領土。

鄭氏開拓臺灣歷經三代，共二十二年。由其在第二代的鄭經治臺期間，尚能維持「反清復明」的精神。不甘接受滿清異族統治的明臣遺老重臣及知識分子大學移住臺灣，在此興學

圖三 鄭成功接受荷人投降圖

設校，導入大陸先進有關製鹽、造糖、水利以及栽培稻米等技術，對臺各種行業的振興，力促臺灣的經濟發展，都有很大的成就。尤其對臺灣農業的發展出現臺灣有史以來未曾有過的繁榮與進步。（註六）

另外有關對外貿易的擴展，鄭氏當局爲了確保其政權經濟基礎，他充分地動用了兵船，突破了滿清政府的經濟封鎖，採取了積極的政策擴展，與日本及透過東南亞等地直接與西歐列強樹立了貿易關係，因而在貿易經濟也頗爲興盛。（註七）不但改善了人民的生活，對各項建設都有很大貢獻。

清康熙十九年（西元一六八〇年），清朝康熙帝的政績卓越，對當時鄭氏他們統治臺灣直接和間接所受的衝擊都很大，以及清廷歷年對臺灣所作的軍事、政治、經濟封鎖的政策逐漸奏效，於是清兵越過了臺灣海峽，搖撼了鄭氏治臺的基礎。當時在臺灣內部因鄭經去世（西元一六八一年）所引起有關繼承人權力的鬥爭，再加上紀綱廢弛，政治上的混亂，呈現出窮途末路，土崩瓦解之趨勢，遂爲清朝所乘（西元一八六三年），水師提都施琅率軍征臺，鄭成功的第三代鄭克爽被逼開了軍門向清投降。結束了鄭氏三代二十二年在臺灣的統治。

大清帝國征服鄭氏政府之後，統理臺灣凡二百一十二年（西曆一六八三——一八九五年）。道光年間，臺灣先後遭受日本，法國的侵犯，前者促使福建巡撫冬春駐臺，後者促使福建巡撫改爲臺灣巡撫，而後籌議設省。（註八）

同治十三年（西元一八七四年），日本籍牡丹社番殺戮琉球人，興師問罪，出兵佔據恆春沿海，時經半載，清廷派福建船政大臣沈保楨到臺灣督辦軍務，與日人周旋，事平，籌劃善後，沈氏與閩浙總督李鶴年建議仿江蘇巡撫分駐蘇州之例，以福建巡撫移駐臺灣，統一事權。李鴻章也認爲係經久之大計，另有建言者，福建巡撫丁日昌的意見，是專派重臣督辦，數年後改建一省。刑部左侍郎袁保恆則請改福建巡撫爲臺灣巡撫，經理全臺，閩撫事務，則督閩浙總督兼辦。光緒元年（西元一八七五年）十月底，清廷改變了巡撫移駐的初議，決定如直督之駐天津制，設福建巡撫行署於臺北，閩撫冬春駐臺，夏秋駐閩。光緒七年，岑毓英任福建巡撫，循制冬春駐臺，銳意更張，親勘彰化形勢爲建省之地，曾謂臺灣孤懸海外，幅員遼闊，籌備防務，必須南北聲氣相當，方易措手，而彰化縣沿居南北之中，兵備道劉璈以彰化之下橋仔頭莊，可爲都會之地，議移道缺於彰化。（註九）

光緒十年（西元一八八四年）農曆六月，清政府與法國爆發戰爭，法蘭西第三共和國向外急速擴展，除了佔領北非、西非、西南非之外，也想染指臺灣，兩度攻打臺灣的基隆和淡水，此時法國的「殖民地」比它本國大二十倍，是世界第二強大的帝國主義國家。清政府對臺的政策直接受到法國的刺激和海上的威脅之後，才緊張起來。滿清爲了確保中國東方的海權有利地位，衆臣紛紛建議提昇臺灣的行政地位，利用這塊「東方明珠」來保護大陸上的海權。

光緒十三年（西元一八八七年）農曆八月十七日，中法戰爭結束後，大清皇帝終於下詔聖旨，臺灣脫離福建省，升格並獨立爲臺灣省。（註一〇）

臺灣的建省，可以說是由於異族之侵略，大清帝國才重視臺灣的地位。因此將臺灣提昇爲省，中國人更重視臺灣這塊領土，臺胞都是中華民族的炎黃子孫，他們先後都是來自中國大陸，大陸與臺灣同胞的關係是息息相關，如手如足，血肉相連，有大陸臺灣才有發展，有臺灣大陸更有保障。因此臺灣與大陸的關係永遠是分不開的。臺灣的開發與成長，都是我中華民族早期來臺的先民艱辛經營的結果，這是任何人都不能否認的歷史事實。民族的情感是最強韌的，血緣的結合是最長久的。（註一一）例猶太人亡國二千多年，但它的民族意識並未消滅，二千年後又能復國，足可證明民族是有強韌性，血緣的結合最長久。另外如日本軍閥雖曾用武力打敗了滿清，將臺灣割讓給日本，但我中華民族的意識並未消滅，日本雖在臺灣統治五十多年，但在臺灣本土，我臺胞不斷有抗日壯舉，同時大陸上的志士仁人也沒有忘記臺灣同胞，莫不以光復臺灣爲職志，拯救臺灣同胞爲目標。從甲午戰爭失敗、滿清和日本簽訂馬關條約，將臺灣割讓日本，從那天開始，我臺胞不願將臺灣割讓日本，就在這塊土地上不斷的反抗，同時我大陸同胞自始至終就未忘掉這塊土地，尤在辛亥革命成功之後，不但鼓舞我臺胞抗日的精神，同時我全國同胞對光復臺灣也增加了信心。

自光緒二十一年（西元一八九五年），日本侵佔臺灣至民國三十四年（西元一九四五年）臺灣光復止，日本統治臺灣共五十年又一百五十六天，日本據臺初期，爲了消弭我臺胞反抗心理，除了使用武力鎮壓外，並且制定所謂「六三法」及頒布「匪徒刑罰令」，以殘酷之手段對付我臺灣愛國志士，面對異族統治的臺灣同胞，也以武裝抗日方式來對抗，前仆後繼，此起彼落，展開轟轟烈烈的抗日行動。不辛，由於餉械不足及後援不繼等……因素，我臺灣志士武裝抗日運動始終不能予日重大打擊。反使日本人更爲囂張。不但在政治上壓迫我臺灣同胞，同時在經濟上剝削，教育上歧視及法律上不公平，使我臺胞無法忍受。因此，在臺灣各地層出不窮，引發很多武裝抗日事件。根據張正昌著：林獻堂與臺灣民族一書列載：先後在臺灣北部發生武力抗日重要事件有三三件，中部有二十六件，南部有四十件。（註一二）全臺灣抗日大大小小共有九十八件。

民前十八年（西元一八九四年），也就是甲午戰爭，中國被日本打敗，將臺灣割讓日本這一年。　國父在檀香山，創立了興中會，曾言：「要恢復臺灣」，可以說光復臺灣是　國父革命目標之一。（註一三），而後在臺灣成立了興中會臺灣分會。當時興中會會員楊鶴齡有個族弟，叫楊心如，他也是興中會會員，他在　國父領導廣州第一次起義失敗後，楊心如來到臺灣，在臺北永樂町美時洋行做買辦，民前十五年（西元一八九七年）七月二日，　國父在倫敦蒙難後，離英取道加拿大東歸，八月初旬抵達日本橫濱。陳少白向　國父建議，想赴臺灣聯絡同志，發展組織，　國父派陳氏來臺，籌設興中會分會。楊氏遂和楊心如聯絡，經楊介紹，結識容祺年，吳文秀和趙滿朝等人，經過這些人的協助，組成興中會臺灣分會。（註一四）從此　國父領導革命與臺灣發生了密切關係，而後　國父在大陸各地起義，不但臺籍愛國志士在物質上支援，並親自參加響應革命的壯舉。

民前十二年（西元一九〇〇年）九月二日，　國父第一次來臺，就在此地策動臺籍志士支援鄭士良惠州起義，本來臺灣總督兒玉源太郎也頗贊成中國革命，並答應幫助中國革命，可惜恰在此時日本內閣改組，更換伊藤博文爲內閣總理大臣，他深怕　國父領導革命成功，提倡民族主義，不但影響對臺灣之統治，更會影響今後對中國之侵略。於是下令不允兒玉源太郎幫助中國革命，也不許臺籍志士參加革命組織，更不允軍械彈藥出口支援鄭士良之惠州起義，鄭氏因缺乏接濟及支援，因此惠州起義就失敗了。　國父也失望的離開了臺灣。（註一五）

民前七年（西元一九〇五年）八月二十日，　國父鑑於全國革命組織各會派並不一致，乃主張組織新的團體，於是中國革命同盟會在日本東京成立。同盟成立以後，臺籍的同志有響應祖國革命而起義抗日；有捐獻軍餉以利革命工作的進行；有親自至內地參加國內的革命行動，其間可歌可泣的事蹟層出不窮。民前二年（西元一九一〇年）九月，中國同盟會臺灣分會成立，由臺南籍同志翁俊明主其事，王兆培助之，主要分子有蔣渭水等人，會務發展至爲迅速。（註一六）

辛亥革命成功，更鼓舞了臺灣愛國志士之抗日行動，他們希望早日脫離日本人之統治，重回祖國懷抱。從民前一年（西元一九一一年）劉乾策動抗日之林杞埔事件到民國四年（西元一九一五年）余清芳等領導抗日之西來庵事件。臺灣志士在辛亥革命的影響下，接二連三的發動了數十次的武裝抗日事件。其中由羅福星領導之苗栗抗日事件及余清芳等領導之西來庵抗日事件，最爲轟動，甚至震驚全世界。臺胞的民族情操，因爲國民革命運動而激發，臺胞的抗日運動，更因爲辛亥革命而奮起。臺灣是中國的一部分，其關係是密不可分的。因此，他們深知抗日運動祇有和國民革命運動相結合，連在一起，才有成功的希望，所以歷次臺籍志士起義，都與國民革命運動有着密切的關係。（註一七）尤其辛亥革命成功之後，臺籍志士抗日起義事件，更爲頻繁。臺籍志士抗日事件之發生，一方面由於日人對我臺胞的壓迫，歧視和剝削的結果。另一方面是受祖國革命的激勵，後來由於辛亥革命的成功，更鼓舞臺胞抗日的決心和信心，因此，他們不斷的掀起抗日運動，此應爲主要的原因。

【附　註】

註　一　朱傳譽編，中國國民黨與臺灣，臺北，中國國民黨中央委員會發行。民國五十三年十一月二十四日出版，頁一。

註　二　同前註，頁二。

註　三　黃大受，臺灣史綱，臺北，三民書局印行，民國七十一年初版，頁四四。

註　四　鍾孝上，臺灣先民奮鬥史，臺北，自立晚報出版，民國七十一年八月（臺灣文藝版）頁一六。

註　五　同註一，頁六。

註　六　戴國煇，臺灣史研究，臺北，遠流出版事業股份有限公司發行，民國七十四年九月出版，頁三四。

註　七　同前註。

註　八　曾廼碩撰，臺灣建省史要，中央日報，民國六十八年五月一日，第一一版。

註　九　同前註。

註一〇　洪敏麟主講・洪英聖編撰：法國「迫使」臺灣「省」誕生。載新生報，民國七十七年七月二十一日，第二十二版。

註一一　李雲漢，國民革命與臺灣光復的歷史淵源，臺北，幼獅文化事業公司出版，民國六十九年三月三版，頁二。

註一二　張正昌、林獻堂與臺灣民族運動，臺北，通美彩色印刷有限公司印行，民國七十年六月初版，頁二六二。

註一三　同註一，頁二一。

註一四　同前註。

註一五　同前註，頁二二。

註一六　史公「臺灣革命史料」二則，載「臺灣問題參考資料」第一輯，頁二一。

註一七　近代中國双月刊，臺北，近代雜誌社出版，第十五期，民國六十九年二十日出版，頁四。

第二章　臺灣與大陸密切的關係

第一節　血緣的關係

當前居住臺灣的人口已超過二千萬，這些人口的籍貫分布全國各省都有，故其血緣有不可分的關係。連橫在臺灣通史曾云：「臺灣故國也。其於中國，視朝鮮，安南爲親。」（註一）又云：「臺灣之人，中國之人也，而又閩粵之族也。」（註二）雖然他們來臺的時間有先後，但其過程與中國歷史變遷有密切關係。山胞來的最早，時間已難確定。閩粵人自明季大批來臺，雍正時，中國海禁稍開，來臺閩胞據歷史記載，此一時期多達百萬以上，是大陸同胞來臺的最盛時期。（註三）再者，民國三十八年，中共竊據大陸，政府播遷來臺，追隨政府之軍公教人員及善良的百姓，不下兩百多萬，因此，大陸各省前來臺的同胞，更爲普遍了。

一、早日來臺的山胞

臺灣何時始有人類居住？有關這個問題至今尚未能確實知道。但就地質學的觀點看，臺灣曾與大陸相連，位於大陸的緣邊部，相信遠古時期就有生物和人類。民國五十七年底，國立臺灣大學宋文薰，林朝棨兩教授在臺東縣，長濱鄉發現先陶文化層，便證實了臺灣於更新世，已有大陸遷移來的人棲息，過著狩獵漁撈的生活。有關臺灣新石器時代文化之研究，已有七十多年的歷史，發現遺跡超過一千多處，這些先史的文化，據宋文薰教授等考古學者之研究，部分與現在所謂「山胞」有關，惟究那一文化與那一族有關，尚難確定。臺灣的土著（山胞）現存有十個族群，即泰雅、賽夏、布農、邵、鄒、魯凱、排灣、卑南、阿美和雅美。他們都屬於 Proto Malay 系統，其語言同屬 Malio Polynesiano 他們可能早自四、五千年前，一直到公元後數世紀，曾分有幾波移入臺灣。（註四）

以前的東西洋學者，多是認爲臺灣土著族（山胞）來自馬來群島。我國民族學家凌純聲曾研究西南民族有年，民國三十八年秋，他到臺灣以後，到山上工作，所到的地方，看到臺灣土著族（山胞）的民情風俗和大陸上的西南民族相似，大有舊地重遊之感。（註五）日本民族學家馬居龍藏在清光緒二十九年（西元一九〇三年）到我國西南各省調查苗族，曾說臺灣土著是新入的馬來系。而凌純聲的研究認為臺灣土著不是新入的馬來系，而是越濮民族。

越濮民族，住在大陸東南沿海一帶，古稱百越，散佈在西南山地，則稱百濮。臺灣土著族，多屬百越，很早即離開大陸，遷入臺灣孤島，後來和外界隔絕，所以能保存他們固有的語言文化。越濮民族的百越系，古代在大陸，人口衆多，分佈綿長，從交阯到會稽，七八千里，勢力很大，可與中原之華夏分庭抗禮。但華夏系的文化較高，百越系一部分留居原處，受到華夏的同化而消失，一部分退向南方，進入南洋，成為現今土著的印度尼西安民族。凌氏舉出十種文化特質，祖先崇拜、家譜等……證明中國古代的百越系和現今南洋土著的印度尼西安民族—原馬來族是同一文化系統的民族。因此，印度尼西安民族，其祖先起源於中國大陸。（註六）

另一民族學家衛惠林研究的結果，認為我們一方面自應拒絕多數過去學者之全馬來說，也不完全強調全大陸說；而主張至少應分新舊與南北兩系，山地各族，尤其是北中部山地各族，為大陸舊文化（東夷遼越文化）系統。東部與平地各族為南島系文化（印度尼西安文化）系統。自然我們可以假定，以中國大陸為整個東南亞，甚至太平洋文化的搖籃，則南系各山地族，也不能講其與大陸無關。（註七）

據現已發現的地下文物來研究，最早可以推至商代，或者更早。民國五十三年，臺北縣文獻會在八里鄉八岔坎發掘的石器與圓山所發現的古物，與大陸發現殷商古物，屬於同一類型。因此，我們可以肯定臺灣山胞是殷商以前由東海岸來的。五十八年臺灣大學考古學家在臺東長濱八仙洞發現舊石器、陶器及骨器多件與大陸周口店所發現的古物相似，此為在臺灣首次發現的舊石器，據考古學家李濟所作的結論，足以證明臺灣有人居住是東部開始，可以溯至一萬年以前。（註八）因此，我們更肯定的說，臺灣最早的居民山胞，是從大陸來的。

日本考古學家金關丈夫，在民國三十二年，也確定山胞與大陸的淵源是極早的、極深的。日本另一考古學家鹿野忠雄也說：「臺灣先史文化的基層，是中國大陸文化，此種文化是分數次波及臺灣的。」（註九）

總而言之，臺灣的山胞，經過中外考古學家研究，都認為臺灣山胞之文化與中國之文化淵源極深，因此可以確定他們是我國的炎黃子孫，與中華民族的血緣是密不可分的，雖然異地而處，但同是一家人。

二、明清閩粵同胞大量來臺

我國東南沿海的福建和廣東兩省，山多田少，居民生活不易，但是良港很多，所以大多向海外發展。臺灣較近，更易前往。宋元以來，已有民衆渡海來臺，明代嘉靖萬曆年間，來

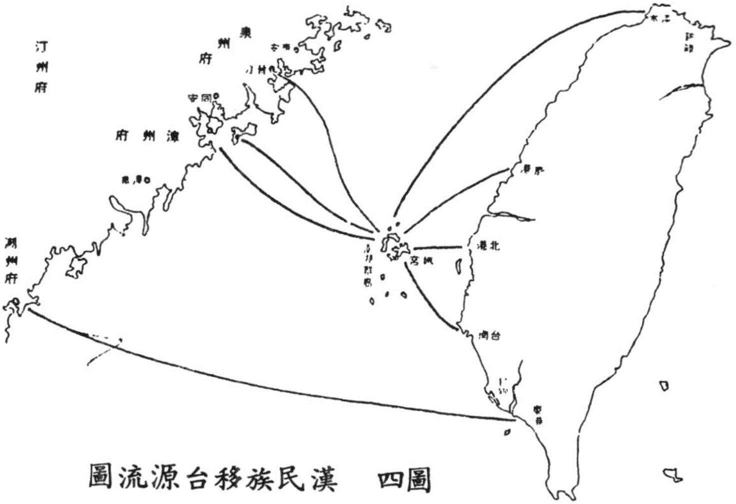

圖四　漢民族移台源流圖

臺的人數逐漸增多。到了天啓年間，顏思齊和鄭芝龍相識，經商議共同去臺灣開發，時臺灣雖已有漢人前往開發，但大多數的地方仍是由平埔族佔據著，顏氏等在臺灣安頓好了後，起初是把臺灣當作一個落脚的地方，並未深入腹地去求發展。後來在諸羅山（今嘉義市）一帶安撫了平埔族，自己建築起山寨來，分汎所部耕獵。於是在福建的親友都知道顏思齊、鄭芝龍等在臺灣，他們紛紛乘船先後來臺，聚落成村，幾近千家（註一〇）

崇禎三年，福建旱災非常嚴重，一時饑民遍地，政府想不出救濟辦法。鄭芝龍建議巡撫熊文燦把飢民移居臺灣，每人發給銀子三兩，三人給一頭牛。這樣總算解決了飢民問題，也造成了我國政府第一次有計畫的大規模對臺移民。那時荷蘭人已經窃據臺灣，但他們人少又著重於從商。

移來的飢民卻在荒野開墾，同荷蘭人在利益上不相衝突。臺灣土地本來肥沃，南部可以一年三熟，居民也樂意長久居留下來。但這批移民卻無形之間使我國政府開始正式的認定臺灣是中國的領土了。顏思齊、鄭芝龍雖不是臺灣最先的開拓者，但由上面所述我們可以明白地了解，從他們來到臺灣後，臺灣才和中國發生了不可分離的正式關係，而在臺灣開拓史上，他們二人的行爲暫且不說，而其移民之功績，當然是不可以埋沒。（註一一）

雍正年間，海禁稍開，來臺之閩胞多達百萬以上，這是大陸移民最盛的時期。從歷史的變遷來看，閩粤來臺的同胞，實際上都是輾轉一波又一波從中原遷來的。戰國晚期，越被楚滅，越人南遷，甌江流域和閩江流域，始逐漸開發，五胡亂華，黃河流域大亂，不甘受胡人蹂躪者相繼南下，他們首居晉江流域。晉江所以稱晉，是中原晉人爲了紀念中朝而特予命名，頗有歷史和民族精神的意義。後五代中原大亂，又有一批義民南遷，元人南下與清人統治全國，都有一波，一波的北方人士南下，分別居住於贛南、閩南、粤東等地區，九龍江下游地區的所謂客家人，是第三，第四波南下的中原人，他們都富有抵抗精神、冒險犯難精神與創業精神。我們看元人南下與清人南下，抵抗最激烈和作戰最勇猛的便是閩南與粤東地區。清師入閩，鄭成功違父命，焚儒衣，在沿海地區糾合民衆反清，不期而成大軍，更足證明這一帶居民的民族精神。鄭氏入臺，把此種精神帶來，鄭氏亡後，大批追隨鄭氏來臺的閩南、粤東籍的人民，也都富有此種精神。他們在臺，不斷的起義抗清。（註一二）後來日人據臺，反抗更烈，幾乎每年都有抗日事件發生，把民族精神發揮到最高點。大陸同胞來臺，一方面爲了創業、擴展生活領域，一方面不甘受異族暴君之統治，在臺建立復興基地，爲恢復漢室而奮鬥。因此大陸同胞歷經各代，一波又一波的渡海來臺，先民義胞在臺經營很多世紀，才有今日成果。民國三十八年，中央政府爲了反抗共產暴政，由大陸播遷來臺，政府在臺灣經營了四十年，不但在臺灣發揚先民義胞的創業精神，更創造了史無前例的光輝成果。

三、早來、晚來都是炎黃子孫

連雅堂先生的「臺灣通史」自序有云：「洪維我祖宗，渡大海，入荒陬，以拓殖斯土，爲子孫萬年之業者，其功偉矣！」（註一三）早期之先民，渡海冒險來臺，在此立功，此種偉業，我們後世不能忘記，更應發揚光大，才不愧爲炎黃子孫。臺灣同胞和大陸各省一樣，都是炎黃後裔，都是中國人。關於臺胞祖先的來源，大多雖是由閩南、粵東來到臺灣，其祖先還是來自中原，以楊緒賢先生所著之「臺灣姓氏堂號考」記述，民國六十七年統計顯示出，陳、林、黃、張、李、王、吳、劉、蔡、楊等姓，列爲十大姓，這十大姓的人口合佔當時一千七百多萬人口中的百分之五十二點五，其中陳姓人口是一百八十五萬零四百二十三人。林姓人口爲一百三十八萬一千七百一十三人，大約陳、林兩姓各佔臺灣人口百分之十。臺灣諺語「陳林半天下」，是有它的緣由。

十大姓之外，許姓爲第十一大姓，鄭姓屬第十二大姓，謝姓爲第十三大姓，郭姓屬第十四大姓，洪姓爲第十五大姓，邱姓屬第十六大姓，曾姓爲第十七大姓，廖姓屬第十八大姓，賴姓爲第十九大姓，徐姓屬第二十大姓。這二十大姓的先祖入墾臺澎，都始自明代末期，各姓無不競相誇耀自己的悠久歷史。

臺灣諸多姓氏歷來在全省各地建立祠堂，供奉祖先，大則稱爲宗祠、家廟，小則叫做祖廟、祖廳、公廳，以示不忘木本水源，跟大陸上古往情況無分軒輊。（註一四）從以上歷史及各姓氏之事實看，足可證明，臺灣的居民，無論是山胞、閩籍、客家，其來源均是來自大陸。再由連雅堂先生所著之「臺灣通史」文字上看及本省各姓氏宗祠內之文物史蹟來估計，我們可以確知，非但具有歷史文化傳承的親密關係，更是血肉相連脈絡一貫，中華民族歷史的臍帶，剪也剪不斷，中華傳統文化的胞衣，分也分不開，如今都已在臺灣承傳和發揚。

【附　註】

註　一　連橫著，臺灣通史，臺北、幼獅文化事業公司印行，民國六十八年八月四版，頁一。

註　二　同前註，頁四六五。

註　三　蔣君章撰：從血緣看臺灣與大陸。中央日報，民國七十年十月二十五日，第十五版。

註　四　黃富之、曹永和主編，臺灣史論叢，臺北，衆文圖書有限公司印行，民國六十九年四月初版，頁四〇。

註　五　黃大受著：臺灣史綱，臺北，三民書局印行，民國七十一年十月初版，頁七。

註　六　同前註，頁八。

註　七　同註五，頁九。

註　八　同註三。

註　九　同前註。

註一〇　同註四，頁一六〇。

註一一　同前註，頁一六三。

註一二　同註三。

註一三　同註一，頁一四。

註一四　林衡道／口述，鄭木金／紀錄，臺灣史蹟源流，臺北，青年日報發行，民國七十六年二月出版，頁六五三。

第二節　地緣的關係

臺灣今天雖然是屹立在中國東南面海上的一個大島，表陸上與大陸是分離的，但根據地質學家之研究，早在先史時期卻是與我國大陸相連接在一起。在地質學方面，近年發現臺灣的基盤地層，乃係在大陸相同的地塊，在古生代的晚期，即在二億二千萬年以前，那時華中、華南還是一片汪洋大海，這樣看來，臺灣自生以來，便是一個大海洋中的弄潮兒，四無依靠，屹立在大東海（包括華中），大南海（包括華南）外，面對無邊際的太平洋。可是到了中生代，華中、華南自海洋中升起，形成了現代的大陸，臺灣和大陸就連接在一起。（註一）後來由於地球的變化，經過很多次的離合，終於有一部分陸沉了，而形成了今天我們看到的海島面貌。最近幾十年來，臺灣的考古學家，在臺灣西部所發現的很多大陸性野獸化石，諸如大象，犀牛、劍虎等許多大型哺乳動物的化石，便可證明此種史實。（註二）因此從地緣上可事看到臺灣與大陸早期的密切關係。下面再從地質、地形、地理等方面分析臺灣與大陸進一步之關係，作為研究臺灣與大陸地緣關係之憑據。

一、從地質方面言

根據地質學家分析，華中、華南各地「古生代」晚期的海相地層中，絕大部分是石灰岩，而臺灣「大南澳片岩」也有很厚的石灰岩層。「大南澳片岩」，在臺灣露出的地方，是中央山脈主分水嶺的東坡。結構的成分，以石臺、石岩、雲母片岩、綠母片岩、石英片岩及大理石岩等爲主。其中大理石岩內又含有紡錘蟲（蜓類）的擬紡錘蟲，希氏蟲、新希氏蟲和珊瑚的瓦氏珊瑚等。這一些蟲的化石與珊瑚，曾在大陸華中、華南二疊紀的棲霞期至茅口期地層中普遍出現。分佈地區，包括太魯閣峽、蘇花公路一帶，經過悠久歲月的凝鑄，如今都成爲質硬紋美的大理石，因此，可以斷定臺灣「古生代」晚期的海，和我國中部、南部的海，不但波濤相接，而且還是產生同樣的紡錘蟲和瓦氏珊瑚，甚至連海的性質與氣候的狀態，也沒有多大的差異。（註三）

到了「中生代」時期，臺灣發生了據烈的地殼變化，地質學的名詞叫做「南澳運動」。「大南澳片岩受了這個運動的褶皺，以及基性與酸性岩漿的伴同活動，臺灣遂得光合陸化，成爲陸地侵蝕而成的礫岩層，亦即是M礫岩。「南澳運動」的發生，與大陸的「燕山運動」幾乎相同，地質年代，是由侏羅紀到堊紀，而白堊紀的活動，轉之侏羅紀更爲激烈。當M礫岩形成的時候，大陸與臺灣連接爲一個整體，中間並無任何海相地層的堆積，是謂「太魯閣大陸期」。而大陸華中、華南的海，經過「燕山運動」，也成爲乾陸，海水浸淹的現象，從此消除。此後，臺灣的沉降與升起，可以說是時斷時續的，最後一次的分離，地質學家測定，是在五千四百年前。近世紀來，臺灣西部出土了很多犀牛、劍 象、野牛、普通象、劍虎、野豬、古鹿等大型哺乳類動物的化石，就是在臺灣與大陸尚未分離前源源移入的。（註四）當時臺灣海峽和東海的大部分尚未凹陷，大陸和臺灣是完全連在一起的。

溯自兩億多年前，臺灣海中因造山的作用，由海底褶曲隆起而成爲一個海島。在這兩億多年中，臺灣不停的變化着，有時成爲海島和大陸分開，有時則與大陸相連，亦即臺灣海峽的海水全退回，或臺灣海峽都上升而露出水面，從臺灣的西部發現許多野獸化石，如犀牛、野牛、大象、野鹿、劍虎等與大陸發現的野獸化石相同。根據學者研究，其地質時代乃第三世紀最末的上新世至第四世紀初期之間，原來第四世紀初期，東南亞曾發生普遍的地殼隆起，海水向太平洋退卻，大陸與臺灣完全相連，甚至菲律賓與臺灣據推測亦有陸地可通。（註五）

就地質學的觀點而言，臺灣是大陸的一部分，而位於大陸的邊緣部，此項事實可以由地殼的性質、地史、古生物群、地層的性質、火成岩的性質及臺灣海峽的地形與地質各方面研究的結果，而得到解答。申言之，根據地質學和物理學的研究，得知，臺灣的地殼大部分呈現大陸與海洋的中間性格，這是臺灣與大陸原屬連體，東海岸才是大陸邊緣部的證明。

進一步研究，臺灣與大陸分離的時間，雖在一萬年間，第四冰期結束而進入後冰期之時。如果第五冰期來臨，極地冰源擴大，海水量減少，臺灣和大陸又會完全重行相連。亦會有澎湖與臺灣的陸地連接，一直維持至距今六千二百年前，而澎湖群島南部與福建之間，直至五千四百年前，尚有一條經過臺灣礁的陸地連繫着，如此來看，臺灣與大陸在地緣上確是有其不可分性。（註六）

再進一步從地質學方面探討，近年發現臺灣的基盤地層，乃係與大陸相同的地塊。在北港鑽探於深處時，發現臺灣從未發現的侏羅紀菊石化石，此爲與大陸地層岩同屬一類，其後遷至澎湖、八卦山、觀音山等都發現類似的基盤地層。證明臺灣本島的沉積情形乃係屬於大陸東方延申範圍之內。另外在本島組成的材料方面，根據礦物成分研究，其中部分乃來自福建、浙江兩省的酸性火成岩體。故從地質歷史追尋並可發現臺灣與大陸之間有其密切的關係。（註七）總而言之，臺灣與大陸就地質而言，原爲一體，以地緣而言，二者的確有密切不可分的關係。

二、從地形觀點言

中國大陸位於歐亞大陸的東部，大陸邊緣地帶常有寬在一百至二百公里，深在二百公尺以內的淺海地帶，通稱爲「大陸架」或「大陸棚」，其實「大陸架」地帶並非是一是爲礁石所組成。因此，名稱習用以久，「大陸架」或「大陸棚」均可通用。按照一般慣例，大陸礁層，應屬於大陸國家領土範圍之內。在我國行史書上則沿用「大陸礁層」一詞。據近年石油地質學家研究，大陸礁層地區往往成爲可產油地帶，備受各國注意，數年前臺灣東北海域內之釣魚臺，無論在歷史上與地理上，都是屬於我國的領域，由於此海域蘊藏豐富的油田，當時一度引起外國野心家對此海域的覬覦，曾發生了國際糾紛，互相爭執，迄今尚無合理解決。臺灣島的地形與地質上的位置也是在中國大陸礁層東緣之上，在自然環境上，兩者應爲一體，其關係相當密切，當然就無法分離。

另外臺灣東部的海域地形與臺灣海峽情形大不相同，東岸外海，海底　形成爲一個顯著的斜坡，向太平洋深處傾斜。在短短的距離內即行深至二千公尺以上。相似的傾斜坡分向南，北方延伸。所知在北面者經琉球直至遼東半島的外海，南面菲島附近至中國南海。這一顯著的通底斜坡，稱爲大陸坡，成爲東亞大陸與太平洋海盆的明顯分界，因此，臺灣的地形系統是在大陸坡以西，大陸礁層上的海島。（註八）

本島形如紡錘，北由富貴角，南至鵝鑾鼻，全長三百九十公里，東起秀姑巒溪口，西至濁水溪口，寬一百四十公里。中央山脈稍偏東縱橫全島，全長三百四十公里。影響臺灣地區的三大要素：一爲緯度，即攝氏二十度以上的年均溫度。二爲冬季的東北季風。三是夏季的西南季風，北赤道洋流經巴士海峽北上，主幹向臺灣東海岸北流，支幹則經臺灣海峽北流，到臺灣北部海面，再行滙合。

三、從地理方面言

臺灣地區包括臺灣本島及附屬島嶼十四個，澎湖群島六十四個島嶼，釣魚臺列嶼八個島嶼，依照內政部公布，全臺灣地區面積三萬五千九百八十一平方公里，但是由於海埔地不斷的向西生長，依師大地理系臺灣土地利用調查研究計畫計測結果，面積則爲三萬六千一百零三平方公里，臺灣雖爲我國最小的一省，面積只占全國總面積三百分之一，但卻爲我國最大島嶼。位居我國大陸棚之東南緣，本島與福建相距約一百五十公里。位於中原時區內，略於長江三角州同經，粵江流域同緯。（註九），東西所占的經度，有二度五十六分二十二秒。南北所占的緯度，有三度五十二分二十八秒。北回歸線經過嘉義的南面，臺灣四面經緯度是：

極東（基隆市棉花嶼）東經一百二十二度六分二十五秒。

極西（澎湖縣花嶼）東經一百一十九度十分三秒。

極南（屏東縣七星岩）北緯二十一度四十五分二十五秒。

極北（基隆市彭佳嶼）北緯二十五度三十七分五十三秒。

依照師大地理系計測，平均高度六百六十公尺，坡度十五度四十分，山地、丘陵、平原的比例三比四比三。其實在臺灣四周這一大片水域，在臺灣海峽一帶，平均水深只有五十公尺到一百公尺。根據地質學家林朝棨研究，臺灣是中國大陸的一部分，也就是以大陸爲根生的一個島嶼。（註一〇）從地理的位置看，就可知臺灣與大陸的密切關係。

「福州鷄鳴，基隆可聽」從這一句諺語來看，雖然這一句話不是事實，但可以說明臺灣與大陸之關係，臺灣的地理位置，雄峙於我國大陸的東南海上，是我國沿海第一大島，東部面臨太平洋西邊的海溝，約二千公尺深，南部面臨巴士海峽和呂宋島對峙，約距三百公里，西面隔臺灣海峽和福建省相望，相距不到二百公里，離福州最近，成綰轂之勢，東北則接琉球群島，從基隆到冲繩，不過六百公里，從蘇澳到垣島，只有二百二十公里。

臺灣本島地形，東西狹而南北長，略似紡錘，又像芭蕉葉，南北長三百九十四公里，東西最寬一百四十四公里，可是海面的範圍比較廣闊，交通無論是海運或空運，非常發達，可以說，臺灣是我國最重要的一個島嶼，在我國地理位置上最爲重要。

【附註】

註一　陳冠學，老臺灣，臺北，東方有限公司印行，民國七十年九月初版，頁一。

註二　林道衡口述，鄭木金紀錄，臺灣史蹟源流，青年日報發行，民國七十六年二月出版，頁一。

註三　臺灣史蹟研究會彙編，臺灣叢談，臺北，幼獅文化事業公司印行，民國六十七年十月再版，頁一。

註四　同前註，頁二。

註五　徐鐵良，臺灣大陸的地緣關係，載「臺灣史蹟源流」，頁一一。

註六　同前註。

註七　同前註。

註八　劉寧顏編，臺灣史蹟源流，臺灣省文獻會發行，民國七十年十月一日出版，頁六—八。

註九　江炳成，古今往來話臺灣，幼獅文化事業公司印行，民國七十三年十一月三版，頁二。

註一〇　黃大受，臺灣史綱，三民書局印行，民國七十一年十月初版，頁二。

第三節　歷史的關係

昔人連雅堂慨嘆的說：「臺灣竟沒有一部歷史」。其實，臺灣早就有了歷史，不過沒有人很有系統的記載下來，散見本國歷史各朝代而已。於是連氏發憤曾花費多年的時間，傾注無數的心血，寫成「臺灣通史」。這已是六十多年前的事了。連氏寫「臺灣通史」的時候，臺灣仍被異族日寇統治，在異族統治下寫成「臺灣通史」，便可知他的愛國情操。古人云：「國可滅，史不可滅」，連氏曾云：「身爲臺灣人，不可不知臺灣史」。連氏本著這種愛國精神寫成「臺灣通史」，實爲我輩可敬可佩。

臺灣自光復以來，由於中共竊據大陸，中央政府播遷來臺，臺灣成爲我們反共復國基地，在東南亞甚至整個世界的戰略上，其價值更顯得重要。因此，中外很多學者開始重視臺灣歷史的研究，於是著作大量出版。可以說臺灣自有史以來，目前研究臺灣史的人算是最多的一個時期。

從過去歷史上看，臺灣的開發與成長，都是我中華民族先民來臺艱苦經營的結果，在臺灣的歷史上更可以看到很多民族英雄，他們爲了反抗異族的統治，曾在此流血、犧牲並付出最大的代價，因此，臺灣歷史是中國歷史的一部分，這是任何人都不能否認的事實。

爲保衛中國的歷史文化，早期在此犧牲奮鬥的有郭懷一志士抗荷，鄭成功帶兵來臺驅逐荷蘭人，後來又以臺灣作爲基地反清復明，朱一貴、林爽文亦在此反清。甲午之戰，清廷失敗，日寇侵占臺灣，丘逢甲、林維源、林朝棟等組織義勇軍抗日。劉永福在臺南佈告安民，亦號召臺胞抗日「願人人戰死而守臺，絕不願拱手而讓臺」。雖然抗日失敗，劉永福等內渡返回大陸，但在臺灣的志士並未放棄抗日之責任。接著又有蔡清琳、劉乾、黃朝、羅福星、余清芳等……繼續號召臺胞抗日，在性質上他們均有民族精神，不願受異族統治而產生愛國思想。因此在行動上才有如此轟轟烈烈的舉動。

一、歷史可靠的記載

記載臺灣最早可靠的文獻，要推三國東吳臨海郡太守沈瑩的臨海水土志。此書雖已失傳，但多條分別收錄在太平御覽一書中，有關夷州部分，有如下的記載：「夷州在臨海東南，去郡三千里，土地無雪霜，草木不死，四面是山，衆山夷所居，山頂有越王射的正白，乃是石也。此夷各號爲主，分劃土地人民，各自別異，人皆髡頭穿耳，女人不穿耳。作居室，種荊爲蕃障，土地饒沃，既生五穀，又多魚肉……。」這個夷州，多數學者已公認爲是臺灣。無論方位、氣候、地形、物產、人民、風格、古蹟，無一不符。文中「山頂有越王射的正白」，也與臺灣爲越國版圖之事實相符。新近經衛聚賢氏查考，查出越王射的乃是玉山山頭。淡水廳志卷十三，古蹟考載：「玉山在貓裡溪頭山後萬山中，晴霽乃見峯巖峭拔，疊石如銀。」正是越王箭靶的傳說根據。（註一）春秋戰國以降，漢族文化已遍佈東南沿海，其地時爲東越族所居，地時爲東越族所居，與臺灣、澎湖僅一衣帶之隔，每有大故，或有被迫亡走海上之事，何況越人爲古代習水之民族，故越人之移臺，甚有可能。（註二）

到了公元三世紀，臺灣與中國的關係進入了一個嶄新階段，中國對臺灣的經營，才算眞正打開。漢末，三國以降，中原擾攘，文化向邊疆擴張，東吳三國江南，對海上經營甚感興趣。黃龍二年（西元二三〇年），孫權曾遣將軍衛溫、諸葛直率領甲士萬人，浮海進征夷州一說（即臺灣）。（註三）這可能是中國政府經略臺灣的開始，也是我漢族經營臺灣在歷史上具體的記載。

三國以降、歷魏晉及南北朝，罕見有夷州之記載。流求、留仇、流虬、瑠球或琉球代之而起，成爲臺灣的同音，異形的代稱。隨煬帝頗有遠略，有志海上，曾兩次遣使和平招降不成，遂改武力征討，而與臺灣的平埔族大戰一場，擄男女數千人而歸。（註四）究竟隋書所記載的流求，所指的爲今日臺灣抑或今日的琉球。數十年來中外學者爭論不休。惟據隋書所記載流求人的習俗，顯與臨海水土志所記載之夷州多有脗合，亦大可與今日臺灣土著民族古習俗相互印證，學者雖有爭論，而大多學者之隋代所稱之流求即爲今日的臺灣，可爲定論。

澎湖，古代的名稱，秦漢稱「云壺」，唐稱「澎湖」、「平湖」，到南宋才叫澎湖，通常人們說澎湖比臺灣開發早四百零三年，是指元世祖至元十八年（西元一二八一年），把澎湖歸入版圖，設巡檢司而言；據史家言，澎湖有人類活動早在秦漢以前。

據文獻記載，目前陳列於臺北博物館中的石斧之一，就是在澎湖西鄉虎頭山出土的，日本人伊能嘉短於民國二十九年、三十四年，也在澎湖發掘兩種先民遺物，(1)無紋陶器片和耳陶器片，發現於白沙鄉瞭望山和永安橋南端。(2)繩紋土器片，石斧斷片及赤色無紋土器片，發現於湖西鄉龍門村海邊。

民國十一、二年，臺大教授林朝棨調查澎湖地質，曾發現貝冢二十六處，較引人注意的是人類頭骨，玉質飾物、陶器、獸骨、鐵器、古錢。一枚「熙寧元寶」，據說是臺灣最先出土的古錢。

這些先民遺物，可歸納爲兩類：

——「先史文化層」：繩紋陶器片、石斧斷片。

——「近代文化層」：陶器、古錢、鐵器。

「先史文化層」，發源於華北，和大陸「先史繩紋陶器片文化層」，具有同樣悠久的歷史（至少在秦、漢之前），可見當時大陸與澎湖，已有交通，先民文化得以在澎湖傳播。澎湖首次列入我國正史，是隋大業年間。大業三年，隋煬帝派「羽騎尉」朱寬和何蠻二人，往東海求訪異族，他們曾到流求國，因語言不通，逮捕一人，而回復命。翌年，隋煬帝又派朱寬再往安撫流求，但流人沒理他而朱寬只奪得流人身上一襲衣甲，就回朝復命。隋煬帝立即又派「武賁郎將」陳陵和「朝請大夫」張鎮洲率領軍隊自義安出發，往東海伐流求，先到高華嶼，然後向東航行了兩天，經過鼅鼊嶼隔天才到流求（見隋書流求傳）。（註五）

至宋初，中原戰亂，沿海人士浮海來臺避難者日衆，根據諸蕃志等文獻記載，早在宋時澎湖已屬泉州，宋時錢幣亦在此時流通於臺灣本島，所以臺灣疆域入於我國版圖始肇於宋朝，此亦爲漢民族正式拓疆臺灣之開始。

元初對海外經略，非常積極，但兩次經營臺灣均無所成。迨元代中葉正式於澎湖設巡檢司，以轄島嶼，隸屬於泉州同安，在臺灣經營史上，自是一件大事。（註六）

到了明代，臺灣的地位逐漸明朗化，由於今日之琉球群島被册封爲藩屬（時稱之爲大琉球），另稱臺灣爲琉球，至萬曆年間，始改爲臺灣。

明亡以後，鄭成功起義師，謀復明室之故，曾以舟師直搗南京，最後攻取臺灣做反清復明的根據地，鄭氏爲了長期抗清，採「寓兵於農」的政策，分別在臺灣各地屯兵開墾，滋長了部屬及居臺灣的意志，這也是我漢民族在臺灣拓展成功的基礎。回顧我先民在臺灣開發經營，民族英雄鄭成功的功勳，特別値得後人懷念和推崇。（註七）鄭氏在臺傳三代，歷二十二年，對臺灣南部一帶的開發經營，功不可沒，他在臺灣歷史上的貢獻，沒有人可以比得上。

臺灣自康熙年間歸入清朝版圖後，清廷所推行的政策，使臺灣內地化，成爲本國各省的一部分，其間歷經沈保禎、丁日昌、劉銘傳前後三任最高行政首長的開山撫番。設官分治、推行各項建設，爲臺灣的近代化奠下了良好基礎。（註八）他們三人在臺治理之功勞也是不可堙沒的。

如前所述，臺灣的歷史應該是中國史的一部分，由來已久，自我大漢民族有史以來，無論是傳說或是正史記載，都與臺灣歷史有不可分的關係，臺灣與大陸本爲一體，大陸與臺灣的歷史淵源，任何其他民族都無法取代的。

二、先民志士在臺灣歷史的貢獻

遠在明朝天啓四年（西元一六二四年），荷蘭人登陸臺灣，在一鯤身建築了一城堡叫熱蘭遮城（Zeelandia），後來又在臺南市增築一城叫普羅民遮（Providentia），熱蘭城是軍事要塞，其目的在於保護荷蘭人的貿易，而普羅民遮城作爲荷蘭人統治臺灣的大本營。荷蘭人統治臺灣著重在一個「利」字，只要有利，是無所不作的，荷人在臺一是獨佔貿易，二是加重稅金，三是廉價買入農產品再高價賣出，可以說處處都在剝削我臺胞，他們的繁榮建築在先住民及中國移民痛苦上，因此我在臺住民，不堪荷人的剝削欺壓，終於在永曆六年（西元一六五二年），由郭懷一領導爆發了一場驅荷大戰，郭懷一反荷是臺灣歷史上值得紀念一件大事，因爲他是臺灣人反抗異族的第一人，在美麗寶島上發揚了民族精神！也是以後大大小小無數民族起義的開端。雖然他領導抗荷失敗了，但是犧牲非常慘重，因此引起在臺的漢人同仇敵愾。從此，荷人非常怕漢人報復，愈是怕漢人，愈處於風聲鶴戾，草木皆兵的恐懼中，終於十年後，於西元一六六一年被我們的民族英雄鄭成功驅逐而結束荷人在臺三十八年的統治。

鄭成功驅逐荷人在臺灣建設，可以說是臺灣三百年歷史上，最光輝燦爛，最令人鼓舞與奮的大事，因爲這是漢人在臺灣建立政權統治臺灣的第一次；除了這一次外，臺灣三百年歷史可說是臺灣人被異族統治的哀哀血淚史！（註九）鄭成功是臺灣歷史上最偉大而最受敬仰的民族英雄，他的一生奮鬥，奔波辛勞及對國家民族的忠貞與貢獻，在臺灣沒有任何人可以相比的。

康熙二十二年（西元一六八三年），克塽降清，鄭成功在臺延續明正朔三十七年，恢復明室大業失敗，臺灣正式歸清版圖。清領臺之初，因政府的消極治臺政策，故開發遲緩。後來由於國際關係的轉變，影響了中國的政策，轉變了近代中國，也轉變了近代臺灣；外患震動了近代中國，也震動了近代臺灣。中國再不能抱殘守缺，閉目酣眠；臺灣亦開始警覺奮進。大家均感到情勢不同，必須拿出新的作風，應付新的環境，急起直追趕上時代。以往三十年英美的寇擾窺伺，各國的開港通商，當局者尚不曾眞正認識臺灣危機的嚴重，直至日本興師動衆，占地紮營，殺人焚村，大家才切實的覺得事態的可怕。（註一〇）而澈底瞭解全局癥結者如李鴻章、沈葆楨等人主張處理臺灣善後，不容稍緩。

清同治十三年（西元一八七四年）日軍犯臺，引起清廷對臺灣防務與地位的重視，因派船政大臣沈葆楨到臺灣籌防，並負經營臺灣之全責，從此清廷的治臺態度，乃由過去的消極態度轉為積極的態度。沈氏來臺他認為撫番開山須同時並進，並謂：「務開山而不先撫番，則開山無從下手，欲撫番而不先開山，則撫番仍屬空談」。沈氏來臺初定計畫，開山後應辦者有十四事，即屯兵衛、刊林木、焚草萊、通水道、定壤則、招墾戶、給牛種、立村堡、設隘碉、致工商、設官吏、建城郭、設郵驛、置廨署；撫番時須並行者十一事，即選土目、查番戶、定番業、通語言、禁仇殺、教耕稼、修道塗、給茶鹽、易冠服、設番學、變風俗。（註一一）可惜他在臺時間太短，及事實上的阻難亦大，未能全部見諸實現，但他這種處理臺灣事務的精神及他這種週密的計畫，對以後治臺仍有相當的貢獻，不能不爲後人敬佩。

光緒二十一年（西元一八七六年），丁日昌來臺，除佈署應付西班牙的防務外，主要爲臺灣的百年大計，到臺之後，先巡查北路，次巡查南路，直達恆春，綏靖鳳山境內悉芒社及獅頭龜紋諸社，諭令薙髮歸誠，賞以銀牌嗶吱布疋等物，爲立善後章程。中路水埔六社，不諳樹藝，雇漢民代耕，特令地方官計口給予銀米，教之耕作，廣設義學，教之識字。並「通飭全臺文武，於善良之番，善爲撫綏，不准百姓稍有欺凌，通事稍有壟斷。其原有田地，設立界地，不准百姓稍有侵佔。並每社設立頭目，稍予體面，以資約束。……其未經就撫兇番，嚴禁接濟軍火，並不准百姓與之銷售貨物。庶幾受撫之番，有利而無害，則向化之心益堅，不受撫之番，有害而無利，則革面之心益篤。」旗后砲臺，增添砲位，防禦加強。基隆煤礦已有相當成效，鐵路電線他也將重視。到臺後迭次函告李鴻章，「該處路遠口多，防不勝防，非辦鐵路電線，不能通血脈而制要害，亦無以息各國之垂涎」。電線比較容易鐵路則頗困難。（註一二）丁日昌在臺雖有些建樹，但因清廷經費困難，他的一切大的計畫都落空了，後來因病也就離開了臺灣，可以說他的理想都沒實現。

光緒十一年（西元一八八五年），劉銘傳奉命專辦臺灣善後事宜，事實上清廷已接受了他的意見，臺灣爲南洋樞紐，不祇是七省藩籬，且準備劃作一個艦隊基地。中法戰爭不得不委屈言和，就是由於海戰失敗，臺灣勢危，痛定思痛，必須要對症下藥。除積極籌辦新式海軍外，臺灣更專力經營，作爲東南保障，海上長城。李鴻章爲重視劉銘傳主張之臺防，即命置鐵甲快船四隻，以備臺灣之用。同年十月十二日臺灣建省與設立總理海軍事務衙門的上諭同時發表，即可看出兩者的連帶關係。這兩件事是光緒前期的重大新政，係清政府具有時代意識的措施，亦爲中法戰役的極大教訓。依據這道上諭，福建巡撫改爲臺灣巡撫，劉銘傳變爲臺灣巡撫。後來臺灣巡撫成了臺灣省，時爲光緒十一年十二月十二日（西元一八八六年一月六日），亦有歷史記載臺灣建省是在光緒十三年，光緒十一年僅止於籌議而已。劉銘傳成了臺灣首任長官。（註一三）

劉銘傳是近代中國的一位傑出人物，更是臺灣史上應當持筆大書的人物，他的豐功偉業實不在鄭成功之下。鄭成功光復臺灣，劉銘傳則保全之外，復予以建設，近代臺灣的政治，經濟交通，文化教育，均在他的手中樹立下規模，奠定了基礎。百年以來，中國的朝野上下有心人莫不以「近代化」—自強相尚，「才氣無雙」的劉銘傳雖是其中之一，而瞭解最深、持之最堅、赴之最力、成績最著者，很少人可與相比。他的具體表現即在臺灣。認識臺灣，必須認識臺灣的近代化，認識臺灣的近代化，就應該知道劉銘傳這個人對臺灣的貢獻。

光緒二十一年（西元一八九五年），甲午之戰，清廷失敗，將臺灣、澎湖割讓日本，這是　國父痛恨昏庸無能的滿清政府，而倡導國民革命的主要原因之一，同時臺灣志士群也起而反抗，並組義勇軍與日對抗，雖然失敗，但自日本奪取臺澎至光復，在此五十年當中，我臺胞爲了不願受異族之統治，先後從事抗日事件不下百件，他們的犧牲流血就是爲了發揚民族精神，維護中華歷史文化，重回祖國懷抱，這些志士在臺灣歷史上的貢獻，是永遠不可磨滅的。

三、臺灣歷史與大陸歷史是不可分的

臺灣的開發幾乎全由閩粵沿海居民所經營，這是由於地理上的位置之毗鄰之關係而促成的。但國人發現爲期甚早，而大量移入墾殖，卻遲至明末才開始，其原因是由於早期航運不發達，海上航行又非常危險。據筆者研究—公元十五世紀左右，歐洲各海岸諸國，競相發展航海事業，以開拓其民族生存的領域，如葡萄牙、西班牙等國即是如此。我國鄭和於明初年間，七次通使西洋，實較葡萄牙亨利親王開拓海外殖民地及意大利偉大航海家哥倫布發現新大陸還早。故鄭和不僅爲中國迎接海洋新世紀之第一人，亦爲中國海疆開拓史上之第一功臣。我認爲閩粵沿海居民移入臺灣與西方諸國發展航海事業及鄭和七下西洋，應有密切的關係，一方面襲取他們航海之經驗及鼓勵，再者占地域臨海之便，而在此後大量移入臺灣，不能說沒有關係。

中國雖在漢朝，三國，魏晉南北朝，隋、唐、宋、元等時代，都不夠詳盡，而對臺灣有詳細的記載，應該是明朝以後的事了。對臺灣都有記載，但歷史的記載由於臺灣近臨中國閩粵沿海，早期先民來臺，經營臺灣的史實這是不可否認的。明初歐洲各海岸國爲開拓其民族生存及擴展商務艦隊東來先後占領臺灣，如荷蘭、西班牙，後來又有日本。臺灣同胞爲了求生存，爲了維護中國之正統歷史文化，不斷地反抗異族之統治，一部臺灣史幾乎是一部反抗異族之奮鬥史，我大漢民族早居臺灣，臺灣這塊土地，是我先民披荊斬棘千辛萬苦經營開拓出來的，他們在這裡流過血、流過汗，臺灣才有今日成果。從過去的歷史來看，臺灣的歷史與大陸的歷史是不可分的，任何異族侵略，我們都要抵抗，任何野心分子製造分裂，將臺灣置於統一中國之外，我們都要勸阻。

【附註】

註一　陳冠學，老臺灣，東大圖書公司出版，民國七十年九月初版，頁四—五。

註二　陳三井，國民革命與臺灣，近代中國出版社，民國六十九年十月二十日初版，頁二。

註　三　同前註。

註　四　郭廷以，臺灣史事概說，正中書局，民國七十七年臺初版第九次印行，頁五。

註　五　歐成山，澎湖比臺灣開發早四百年，中央日報，民國六十七年六月二十七日，第十一版。

註　六　同註二，頁二。

註　七　同前註。

註　八　同前註，頁四。

註　九　鍾孝上，臺灣先民奮鬥史（上册）自立晚報，民國七十六年三月，頁三五。

註一〇　同註四，頁一七八。

註一一　同前註，頁一八〇。

註一二　同前註，頁一八六。

註一三　同前註，頁一九一。

第四節　文化的關係

臺灣就史源來說：是中國的一部分，就地理環境來說：互為依存，就文化來說：淵源於中國。臺灣現在的居民，有明顯史績可考的都是從大陸上移居而來的，他們來得早的不過兩三百年，晚的也有數十年之久，追本探源，最早無史績記載的先居大多是漢族的後裔，炎黃的子孫。其生活、習慣、宗教信仰、語言文字、婚喪禮儀、家族組織、社會制度，莫不承襲大陸而來。充分顯示出其文化淵源同爲一體。

一、臺灣早期文化與大陸之關係

臺灣位於亞洲地中海的東緣花綵列島的中途，即中國東海與南海之交，古代海洋與大陸文化交流時，這裡是常經之路，臺灣的原始文化，必然含有大陸文化和海洋文化的要素。

近年以來，民族學家們以形勢學及地理分布表，將臺灣史前文化，作了詳盡的分析，另設定七個文化層來研究考證：

㈠繩紋陶器文化層：爲臺灣最古而分布最普遍的文化，相伴的石器是打製石斧，乃純粹的大陸文化，由北方移入臺灣。

㈡網紋陶器文化層：陶器形制與布農族及曹族所使用相同，相伴的石器是打製石斧和多種磨製石器，分布遍及全島。

㈢黑陶文化層：屬中國大陸東海岸系統，相伴的石器是單刃磨製石斧。

㈣有段石斧層：與白陶並列，分布於西部海岸，文化來源，可能自福建省移入。

㈤原東山文化層：與越南清化州之東山遺址文化有顯著關連。但此一文化亦源於古越族。

㈥巨石文化層：可能起於黃河上游，傳播至朝鮮、日本、緬甸、印度、英、法等地，臺灣分布限於東部海岸。

㈦菲律賓鐵器文化層：分布於東海岸及南部，包括多爲實用器物及裝飾品。據菲律賓大學教授貝葉推定：此文化移入臺灣在西曆六百年至八百年之間。

就以上七個文化層發展的情形而論，前四個文化層是屬於我國大陸系統，後三個文化層，則稍稍接近東南亞系統，但我們不要忘懷，東南亞古文化的母體，也是我國大陸，所以臺灣與我國大陸的關係，不但土地連理並生，史前文化更是一脈相承。

今天臺灣的考古學家和民族學家，他們一直在努力於史前遺化的發掘，在臺北縣觀音山某地有了新的發現。在同一個遺址上，發現五個文化地層：⑴最古最下的繩紋陶系統，⑵圓山系統，⑶植物園系統，⑷十三行系統，⑸近代漢文化系統。又與上同時，在圓山系統一層中獲得一枝青銅箭頭（從新掘泥沙中篩出），這是以前未有過的收穫。至於近幾年在臺東八仙洞發掘的長濱文化，把臺灣史前文化上溯更爲久遠，幾乎推前一萬年。總之，臺灣史前文化與大陸的淵源，不僅目前可作無以變易之定論，將來必有更充分，更具體的證據出現。（註一）

二、臺灣文化與大陸本來是一體

一個民族的成長，不僅是靠血緣的繁衍，文化的因素可能更爲重要。在中國歷史發展的過程中，有很多異族的成分融入於漢族爲主體的中華民族之中，不管他們是夷、狄、戎、蠻或臺灣土著的後裔，只要他們在風俗習慣及語言思想與大多數的中國人沒有什麼不同，他們就是中華民族的一份子了。

臺灣是中國幅員的一隅，是漢族移居的地方，更是中原文化敷施之所在。因此，舉凡臺灣居民之衣、食、住、行、風俗習慣、宗教信仰、語言文字、家族組織、社會制度，莫不承襲大陸而來，充分顯示出文化上的淵源，臺灣和大陸融合及承襲一體的關係。（註二）

臺灣文化，即隨歷次移民渡海東來之中華傳統，由於地理上僅一水相隔，以及歷史上之密切關係，截至清代經營時間，移民以籍隸閩南與粵東者居多。（此一事實顯示於淪陷時期日人調查，據日人「臺灣在籍漢民族」之「鄉貫別」人口統計，民國十五年底，「本島人」即「臺灣在籍民族」合計三百七十五萬一千六百人，其中祖籍福建者獨佔三百一十一萬六千四百人，比率高達百分之八十三點零七，祖籍廣東者為五十八萬六千二百人，比率為百分之一十五點六三，祖籍其他省區者僅四萬八千九百人，比率僅及百分之一點三零）。因此，臺灣之文化帶有閩、粵地方色彩，另為適應新環境生活之需要而有所發展，仍為道地之中華傳統文化，此乃世人所週知者。（註三）沒有可疑之處，茲將物質、社會、精神文化方面，分別詳加陳述：

㈠物質文化方面

1. 衣着方面：臺灣地區因為北回歸線通過嘉義和花蓮，所以兼具熱帶與亞熱帶兩種氣候，除了高山地區外，終年高溫，夏季較長，衣着較為簡便，夏季穿着單薄，冬季有夾襖就可以度過，如遇寒流，再加上一件棉衣，也就可以禦寒了。服裝式樣隨時變換，從前，男人穿短衣，長度過膝即可，女性喜着紅裙，隨合我國風俗，紅色表示吉祥。（註四）

2. 飲食方面：多與大陸相同，臺灣以米為主食，三餐不離，零食亦多係米或糯米所做副食品以肉、魚、蔬菜爲主。臺灣肉、魚、菜烹調沿襲祖籍閩、粵。以燉、煎、煮、炒較多，烹、炸、燴、溜者較少。臺灣四季溫和，水果四季不斷，種類亦多。茶葉、烟酒消費甚大，爲一般人愛好。至於飲食方面各種禁忌，完全與大陸沒有什麼分別。

3.建築方面：臺灣古昔住宅式樣多從閩南、漳、泉一帶而來，而主要的建材爲紅磚、紅瓦、土埆。日據後始有樓房，並採新式材料與裝飾。具體的說，臺灣傳統建築，可視爲閩南漳、泉建築的移置，以往臺灣建築房子，受到金、廈兩島之影響，其風俗與金、廈無異，以澎湖的情形來說，其傳統的房屋的形態與格局，都跟金門一樣，所以時至今日，澎湖的父老仍把古老的房屋叫做金門厝。（註五）

緣中國建築在世界建築史上以色彩豐富而著稱，而閩南建築在中國各地建築中色彩又最爲豐富，清時臺灣建築之技術，來自閩南，以閩南匠工爲主流，是以無論寺廟或民房都富有色彩鮮豔的繪畫和圖案，繪畫的技術，完全取範於中國傳統的花鳥、人物、山水繪畫，內容則大多與宗教、道教有關。（註六）故大體來說，臺灣建築，完全因襲於閩南，不僅是材料來自內地，就是技師及工人也由內地聘請，此乃基於血肉相連而有民族情感不可分的關係吧！

㈡社會文化方面

1. 婚姻方面：男大當娶，女大當嫁，男婚女嫁是人生一件終身大事，也是人類社會生活中最基本的普遍現象。臺灣婚姻傳自福建、廣東，婚姻有大娶、小娶的分別。凡是依古禮而行的叫做大娶，循著特殊習俗而行的，叫做小娶。所謂小娶，就是採行比較簡單的婚禮之外，夫婿對女家還要負擔約定義務。

此外，我國古時婚禮有六種情形，依序是納采、問名、納吉、納徵（納幣）、請期、親迎。這些古禮行之很久。到了南宋，六禮併爲三禮，成爲納采、納徵、親迎。清代又簡化爲二，只有納徵和親迎。但是，一般民間行爲的是議婚、訂婚、送日子、親迎等四個階段，臺灣世居住民也沿用此習。（註七）總之，臺灣婚姻之習俗均按照我國古時禮俗，沿革傳下來的，其社會文化，同歸一宗，毋可置疑。

2. 喪葬方面：臺灣地區喪葬的禮俗大體上跟內地一樣，對死者的裝殮，喪葬的處置，本著幾個觀念，即：根據原始宗教心理，相信二重世界，信仰精靈與崇拜祖先，而儒家思想，遵禮盡孝，深信通俗佛教及通俗道教的輪迴報應說：誇耀家世及子旺丁繁。（註八）

臺俗家人疾革，即行搬舖（一日徙舖），即古代易簀遺風，其對死者之措置及禁忌，一如內地。喪禮進行亦大體與內地同。祭禮方面：人存敬天尊祖之思想，事神之多

沿用於各地。而「拜」者特多，亦爲特色之一。祭禮具見於歲時行事，富愼終追遠之古風，至兼主於祈與報，則環境使然。（註九）

3.家族制度：家族是基於男女婚姻結合的一個單位，可說是人類社會最基本的組織。他的主要功能是滿足所結合的男女對性的需求，而來延續種族的生命。

以往，臺灣地區的家族，除了夫妻和子女兩代外，父母、祖父母、兄弟、姊妹、妯娌，乃至於伯、叔父母、堂兄弟等，都同居在同一個家族之內，由此種血緣關係的結合，而採取的合居方式，通稱爲大家族。

小家庭又稱爲夫妻制，大家族又稱爲家族制，根據民國四十一年雷伯爾對臺灣農村家族的調查，一對夫妻的小家庭佔了百分之五十八，反過來說，當年臺灣農村的大家族佔了百分之四十二。又根據雷伯爾在民國四十一年對臺灣都市家族的調查，一對夫妻的小家庭佔了百分之六十八，可見當年臺灣城市大家族佔了百分之三十二。再以這兩項調查統計來加以分析，當年的臺灣家族制，鄉間大家族有十分之四，市區的大家族有十分之三。由此可以瞭解，光復之初，臺灣大家族很盛行的。在以往的臺灣一般風尙以家族數代同堂爲榮，因而有三代同堂、四代同堂、五代同堂、甚至有六代同堂者。

我國向以家族主義著稱於世，臺灣此一風尚也是我們中國人的傳統習慣。（註一〇）大家族之優點，培養人之忠厚、實在，並且有禮，外國人稱中國人爲禮儀之邦，大概也就是這個道理吧！

㈢精神文化方面

1.宗教信仰：亦係承襲大陸而來，按中國民間歲時節俗，最可表現風俗習慣與宗教信仰者，其發展須含有⑴原始宗教心理，⑵農業社會生活旋律，⑶自然崇拜，靈魂崇拜，以及儒佛學與道教的觀念和思想等要素。臺灣和大陸各省相同，一年之中自農曆初一開始，有元宵、清明、端午、半年圓、中元、重陽、冬至、除夕等節令，每逢這些節令，使各種咒術行爲，以及禁忌等，皆本原始宗教心理活動。同時又有拜祖拜神拜佛等「祈福於神」的心理活動；亦即是本於儒、佛與道教等之觀念和思想者。（註一一）自此諸具傳統性節俗來看，臺灣與大陸之精神文化完全一致，其關係至爲密切。又如臺灣寺廟之多，崇拜之神多是一致，表現出中國多神教和偶像崇拜之色彩，不僅充分說明中國民間信仰之特質，也表示出臺灣與大陸一體之關係。

2.道德現象：四維八德爲中華民族固有的道德，亦爲本省同胞共具之傳統德性。中原文化的特質之一是王道精神，講公理，愛好和平，不侵略他人。翻開臺灣歷史，多有盡我、愛人、和平及尚義的史實。重土報本是中原文化另一項極富人情味的特質。這從禮讓爲懷和春秋享報的習俗上可以充分體會，臺灣的若干民俗也極能表現此一特質。總之，臺灣的歷史發展，從古至今，除了少部分曾受外人，如荷、日等若干影響外，整個進化歷程，可以說完全是中原文化波瀾推衍。臺灣不愧是個寶島，它不但有島國精煉的特性，亦具北土博化的功能。因此，中原文化在此地區有其最佳的發揚，所以文物興盛，人文蔚起。（註一二）今日的臺灣成爲反共復國的基地，不但代表了整個中華民族，也代表了中華文化的道統；不僅是現階段保存中原文物的精神堡壘，更是承先啓後發揚光大及復興中華文化的根據地。

3. 語言文字：臺灣的語言大別祇有兩種，即漢語和南島語。所謂漢語，主要包括閩南語和客家語兩大方言，而漢語是漢藏語族中最大的一支。（註一三）臺灣的閩南語和客家語既是漢語的兩大方言，即係從福建南部及廣東東部分別遷徙而來，自然和中國其他漢語方言相同，亦和古漢語具有密切關係。至於文字，臺灣地區所使用的文字，除發音略有不同，其字型完全與大陸沒有分別。臺灣光復後，政府大力推行國語運動，目前臺灣中，少年都能講一口流利的國語，對中國字沒有不認識的。

4. 姓氏，以姓氏源流言：無一不是來自中原的百家姓，根據楊緒賢編著「臺灣區姓氏堂號考」一書，將臺灣地區十大姓氏列陳如下：

陳、林、黃、張、李、王、吳、劉、蔡、楊，分布全國各地，此十大姓氏，不但臺灣是多數，就是大陸各省為數也不少。可見臺灣之姓氏與大陸淵源甚深，從臺灣姓氏來看，更看出臺灣與大陸的密切關係，脈絡一貫，血肉相連，此種密切文化關係永遠都分不開的。

【附　註】

註　一　臺灣史蹟研究會，臺灣叢談，臺北，幼獅文化事業公司印行，民國六十七年十月再版，頁四—七。

註　二　陳三井：國民革命與臺灣，近代中國出版社出版，民國六十九年十月二十日初版。頁七。

註　三　劉寧顏：臺灣史蹟源流，臺灣省文獻會發行，民國七十年十一月出版，頁六八〇。

註　四　林侗道口述、鄭金木／紀錄，臺灣史蹟源流，青年日報出版，民國七十六年二月出版，頁二二五四—二二五六。

註　五　同前註，頁二七一。

註　六　林衡道：「由民俗看臺灣與大陸的關係」，載「中國的臺灣」，中央文物供應社，民國六十九年，頁二五五—二五六。

註　七　同註四，頁四二八—四二九。

註　八　同前註，頁四四八。

註　九　同註三，頁六八一—六八二。

註一〇　同註四，頁四七八。

註一一　同註六，頁二五八。

註一二　同註二。

註一三　丁邦新：「臺灣的語言文字」，載「中國的臺灣」，頁三三七。

第三章　臺胞抗日的起因

第一節　政治上的壓迫

日人在臺灣的經營，他們的眞意是要把臺灣建設成爲從屬日本典型的殖民地，以養肥日本國及日本人，作爲對外侵略的資本，這就是日本人在臺施政的主要目標，大力經營的目的。日人歷經半個世紀在臺灣的統治，祇是或明或暗或強或弱的「壓制之五十年」、「奴化之五十年」，臺灣人的被壓迫地位始終未變。至於統治者的「優越感」、「差別感」祇可以說是這種本質所產生的現象，統治者的地位崇高優越，而被統治者沒有民族自主權，地位卑賤，在雙方對立之下，必然的要發生磨擦抗爭，帝國主義統治下之殖民地內在矛盾存在一天，敵對是絕難避免的，也是無法和解的。日據時期，臺人的抵抗，或有組織而大規模抗暴或有零星的衝突，或武力或非武力，始終綿綿不絕，理由即在於此。（註一）由於日人對臺胞不斷的壓制，才產生此種結果。

圖五　馬關和談李鴻章座椅

一、日本統治臺灣所謂之「始政」

甲午之役，清師敗績，光緒二十一年（西元一八九五年）三月二十五日，即明治二十八年四月十七日，清廷派全權大使李鴻章和日本的內閣總理大臣伊藤博文，在日本馬關春帆樓簽訂「馬關條約」，將臺澎割讓給日本。五月八日在我國煙臺交換批准書後，日本政府即在京都府大本營成立臺灣總督府，旋於十日派海軍大臣樺山資紀爲第一任臺灣總督兼海軍司令長官及臺澎交接全權委員，清廷則派李鴻章的兒子李經方爲交割臺澎全權委員，當時我臺胞民情激憤，反對清廷割臺。因此，雙方全權委員不敢在臺交接。李經方偕隨員盧永銘　陶大均到橫濱丸與日方樺山資紀

圖六　著者在日本「日清講和紀念館」館前留影

永野遵和外務官島村，譯官仁禮敬之及大久保利武等人在基隆外海船上辦理交割手續，並立約二條：一、臺灣全島及澎湖列島各通商口岸，並在府廳縣之城壘軍庫及官業，概讓日本，二、臺灣至福建之海底電線，他日兩國政府別行商議管理。交割完畢，至此，臺灣又淪陷於異族手中，歸屬日本統治。（註二）

交割竣事後，是日樺山資紀即以臺灣總督的名義向臺人發出授受臺灣和綏撫人民的諭示，全文如下：

大日本帝國欽派臺灣島及所有附屬各島嶼等總督海軍大臣子爵樺山，爲出示曉諭事，諭得此次大日本帝國大皇帝准將大清帝國大皇帝，因中日兩國欽差大臣於明治二十八年四月十七日在下之關所定和約所讓臺灣島及所屬各島嶼併澎湖列島，即在英國格林尼次東經百十九度起以至二十度，及北緯二十三度起以至二十四度之間，諸島嶼之管理主權及該地方所有堡

圖七　日本第一任總督樺山資紀像

壘軍器工廠及一切屬公物件，永遠歸併大日本國，特簡本大臣按與總督駛抵住所，本大臣系遵諭旨，驗收大清國所讓各地方。併駐此督理一切治民事務。凡爾衆庶，在本國所管地方懍遵法度，恪守本分者，悉應享周全保護，永安其堵，特此曉諭。

明治二十八年　月　日

後來他們在臺灣義軍抵抗下，近衛師團仍進駐臺北，臺北城的內衛署，於是着手各種措施的佈置，並訂定六月十七日舉行開始「庶政」典禮，是日上午，在臺北的文武官員集合總辦公室舉行「始政公式」，繼於下午三時續在總督辦公室前庭院，舉行「慶祝」儀式。典禮是在海軍樂隊演奏日本國歌中開始，然後由樺山致詞，強調日本戰勝，臺灣入其版圖，沐浴「皇化」殘餘清兵猶弄干戈抗拒，然幸在一擊之下，一掃而無遺，從今當夙夜磨勵心力，以促本島居民的安寧云云。日當局後來規定這一天為臺灣督府的「始政紀念

日」年年盛大擧行，以祝其侵略的開始。（註三）

二、日本統治臺灣之「警察政治」

日本統治臺灣，可以說是警察政治，關於警察政治的酷虐，據A．J．Graidangon在其「暴日統治下的臺灣」一文中云：「自從臺灣被日本征服以來，已變成一個世界無雙的警察國，一九三七年時，臺灣的警察數，較各級學校教員的總數還多。同年在日本本國，平均每一〇五三人有一名警察，但在臺灣每五八〇人即有一名警察。臺民的生活，各方面都受到嚴厲限制；甚至連帶華僑擧行儀式，都須經總督許可。掙扎生活於社會階層的最下層，一切中國的文化與思想均無表現的自由，這是臺民由日本政制所受的唯一賞賜。」（註四）日據初期數年間，其行政機構，於總督之下僅設民政署及警察本署，專賴警察政治以推行其對臺之統治，而臺灣警政除普通警務外，其他如外事、經濟、交通、戶籍、風紀、蕃務、消防、思想、衞生等，無所不管。自辦務署時代至十二廳時代，警察本署長之職權，在民政長官之上，即使至一九四五年時，臺灣地方行政事務，仍大部分由警察管；以及一九一〇年，雖始設督府評議會，及州市街庄各級協議會，爲各級民意機關，但僅供諮詢，並無議決權，即可得知。語云：「警察在州縣階層，特別是鄉鎭階層，事實上成爲殖民地的基本官吏」（註五）可以說，日據臺灣時期，警察權威之大，無以復加，而我臺胞所受之政治壓迫，可想而知。

另外日本對臺胞統治，深怕受我民族主義的影響，採取臺灣與大陸隔離之政策，他們深知，臺灣最大多數的居民是漢民族，臺灣的社會也是漢民族的外延社會，既然事實上無法把他們悉數趕回中國大陸，最低限度也應該設法把兩地及居民的政治、經濟、社會、文化等方面隔離起來，使雙方脫離關係，臺灣居民遠離其影響，忘記與中國過去之淵源，使同日本相結合並屬日本，建立非依靠日本則難以生存的態勢。不然，日本對臺胞的統治殊不堪設想。（註六）日本在臺實施警察政治，嚴禁臺胞與祖國人民來往，例如　國父先後來臺三次，第一次來臺是在惠州起義，並同臺灣總督兒玉源太郎洽商協助中國革命的事宜。兒玉本來贊成中國革命，後回日本內閣改組，新任內閣總理伊藤博文深怕　國父革命影響日本在臺灣之統治，因此，不許臺灣總督幫助中國革命黨，並且不許武器出口，也不許臺灣青年參加革命，使惠州起義功敗垂成。　國父在臺居住月餘而後離開臺灣。第二次來臺，正當革命志士羅福星在臺發動抗日失敗，臺灣總督深怕臺灣同胞受到　國父革命思想的影響，對日本不利，於是日人派便衣偵探監視　國父的行動，因此　國父和在臺的革命志士，都不能有所作爲。第三次來臺，是二次革命討袁失敗後，　國父從汕頭到臺灣，船停泊在基隆港，日本駐臺總督對　國父仍舊採取監視態度，並且不允許　國父登陸，旋即乘原船去日本。（註七）另關梁啓超遊臺，日人也同樣對他監視，梁任公曾批評臺灣總督說：「總督，天帝也！」他曾數次求見當時的佐久間總督，始終無法見到。這句話雖然含有憤懣的口吻，但是總督在臺灣確是神聖不可侵犯的。（註八）從以上 國父及梁任公來臺看，日人如此的監視，就知他們深怕臺胞受到祖國的影響，不利對臺胞之統治。因此而採隔離政策。

最可惡者，莫過於地方警察也。彼等在保甲費、警察費、壯丁費等名義之下，由民間徵收金錢以肥私囊。彼等之淫威，如狼似虎，實為村中之王，人民如對之大加款待，贈賄多者，即得與彼結交，獲得一切便利，諸事可以相商，可以平安度日。否則，不款待警官者，常被虐待受苦。故富者蒙優遇，貧者受虐待。蓋富者凡過年節，均有鷄鴨、酒肉、菜蔬饋贈之故；而貧者不能作此貢獻，所以常被虐待也。即如衞生一項，富者雖堆積汚穢，仍被默許。貧者若見其灰塵，即被毆打侮辱。且彼等不察下民之貧苦，不分晝夜，擅到民家，呼喚酒食，強令殺鷄，飮於甲食於乙，輾轉輪流，以苦其民，如此之警察官，向不見於他國，惟獨日本而已。（註九）

歷時半世紀的日人據臺期間，他們的「統治」方法，大體上又可以分為兩個階段—軍政時代和民政時代。光緒二十年（西曆一八九五年）乙未侵據臺灣以後，到了民國三十四年投降交出臺灣，本省光復為止。而日本共任命十九任臺灣總督，可分為武官及文官總督兩個時代，第一任至第七任是武官總督，第八任至第十六任是文官總督，第十七任到十九任又是武

官總督，總督的這些交易，在在都在反映他們對臺灣的殖民統治的方針和政治局勢。（註一〇）

新領土之殖民地管轄於專制的統治之下，於國家權利確立之必要上，屬於自然之事，臺灣總督，本以陸海軍之大將任之，一般行政的權限之外，尚有基於律令之立法權及陸海軍統帥權與軍政權。即司法權之獨立，其始亦不若如日本之完全。而對於治安之維持，其始則以軍隊爲主，至兒玉後藤之政治，方大量充實警察力，且於明治三十一年，制定保甲條例，採用中國遺制之保甲制度，爲警察之輔助機關。日本領有後，在臺灣之舊制度重被變革之中，唯有保甲制度，再經組織後，被活用於統治上，而收甚大效果。

關於臺灣之治安，保甲制度之外，有保安規則，凡有害維持治安之日本人，外國人，應受退島之處分；又有浮浪者取締規則，凡臺灣人之浮浪者，送至遠處隔離，使服強制勞動。另關匪徒刑罰令以下之治安取締諸法令，自始至終，具有效力，然治安旣成，行政組織已備，警察政治漸須改其面目，保甲條例浮浪者取締規則，亦似日行減其效用。然而臺灣之警察制度，應認其有促進急速的治安及產業之發達效果，但仍然不免爲對於臺灣人壓迫統治之一種手段。（註一一）

三、實施「同化政策」與「皇民化」運動

日人在臺所實施之「同化政策」，也可以說是「內地延長主義」，祇是他們迫於需要運用臺胞時的策略，是欺人的騙術。我們從歷代臺灣總督的施政方針及措施便可以知道，所謂「同化」也者，正是他們在長期的統治中摸出來的路徑，日本治理臺灣採取同化政策是在明石元二郎任內才初次表明出來，後來到了初任文官總督田健治郎始大吹大擂，大肆渲染，要求臺胞「同化」於日人。日人提出之「同化政策」與當時世界上之客觀背景不無關係：一是第一次世界大戰後，民主自由，民族自決主義瀰漫全世界；二是祖國之五四運動、朝鮮的三一運動；三是臺胞的教育普及，民智大開，社會風氣漸開等促使臺灣知識份子的民族覺醒。他們深知「統治」使用強壓並非良策，收攬民心也是非常重要，況且他們需要臺人協助「建設」，所以才有此改變。（註一二）

其次臺灣總督府爲了推行此一階段的「同化政策」，也就開展了所謂「皇民化運動」要求臺灣同胞澈底消滅我中華固有的風俗習慣。日本人所推行的皇民化運動項目很多，當中他們最重視的是叫臺灣同胞改換日本式的姓名，更進一步命臺灣同胞燒掉祖宗牌位，各地方的寺廟都被迫合併或者全部拆毀。在整個皇民化運動中，做得最澈底的就是禁止穿着我中國式

的衣服，連窮鄉僻壤的鄉下老太婆，脚登三寸蓮，頭頂高大髮髻，也被迫穿着不倫不類的洋裝。其實，這種渾身不倫不類的穿着很不是滋味，怪不得當時的知識份子把如此穿着的人，戲稱為「二十世紀的怪物」是有道理的。

「臺灣話」也禁止使用了，連七、八十歲的老太太，晚上也得去補習班從頭學日語，有的人學了兩年還不能講出一句，眞是令人哭笑不得。爲甚麼這麼大年紀的老太太，也要辛辛苦苦去學日語呢？因爲在戰爭期間糧食是配給的，全家都會說日語的就被日本人認定是「國語家庭」，配給的口糧也就比較多，跟日本人同量。（註一三）

在商哲明著：「臺灣同胞與日本人」一書中有一段如此說：二十六年前，我在嘉義中埔國小教書的時候，一個姓李的同事，說出一句發人深省的話，他說：「日本人統治臺灣五十一年，實施苛刻的殖民地政策，竭盡掠奪搾取能事，他們在政治上、經濟上、文化上全力欺壓臺灣人；他們公開辱罵臺灣人，毆打臺灣人，但是臺灣人還說日本人好，眞的不可思議！」這位同事李老師亮亮充滿智慧的眼睛，嘆一口氣說：「日本人對臺灣的奴化政策，沒有失敗。」人家侮辱我們，欺負我們，我們還說人家好！我親愛的臺灣同胞，日本人的「奴化政策」，眞的沒有失敗嗎？（註一四）

【附 註】

註 一 黃富之、曹永和：臺灣史論叢，第一輯：衆文圖書股份有限公司出版，民國六十九年四月初版 頁三五五。

註 二 臺灣史蹟研究會：臺灣叢談，幼獅文化事業公司印行，民國六十七年十月再版 頁四五一—四五二。

註 三 同前註。頁四五四。

註 四 轉見柯台山：「臺灣概覽」，正中書局，上海，民國三十五年三月滬一版 頁四四—四五。

註 五 高柏林：（My man kublin）：「日本殖民時期的臺灣（一八九五—一九四五）」，載「近代的臺灣」 頁二三四。

註 六 同註一，頁三四一。

註 七 曹景雲： 國父與臺灣，中央日報，民國六十八年十一月十三日，第十一版。

註 八 蔡培火等著：臺灣民族運動史，自立晚報社出版，民國七十二年十月三版，頁一七六。

註 九 莊金德、賀嗣章：羅福星抗日革命案全檔，臺灣省文獻委員會發行：民國六十六年四月十日修正出版，頁三九—四〇。

註一〇　臺灣省文獻委員會，臺灣史話，建華印書有限公司印，民國五十三年六月一日出版，頁二五八。

註一一　矢內原忠雄：日本帝國主義下之臺灣，臺灣省文獻委員會發行，民國六十六年四月修正出版，頁一八八—一八九。

註一二　同註一，頁三五二—三五三。

註一三　林道衡口述，鄭本金記錄：臺灣史蹟源流，青年日報發行，民國七十六年二月版，頁三四七—三四八。

註一四　蔺哲明：臺灣同胞與日本人，星光出版社出版，頁一。

第二節　經濟上的剝削

自從日攫取臺灣統治權後，便師承西方殖民帝國主義亞洲殖民地的統治辦法，想儘速的從殖民地，獲取利益。（註一）臺灣的經濟一切都是以日本利益爲依歸，一切生產及金融機關也如政治一樣控制他們手裡，交通機關亦是如此。臺灣的實業幾乎都被三井、三菱等大公司，大財閥所包辦壟斷，甚至於烟、酒等專賣品配銷會及公營事業產品的販售都是日人的特權，臺灣人除了少數特殊人物外都無法分羹或寄生他們的籬下。（註二）換言之，臺灣的經濟完全被日本控制與剝削，此種經濟大多數臺灣人一點自由權利都沒有，完全被日本人操縱把持。

一、重稅主義及專賣制度

日據時代，在整個臺灣財政史，就充滿著「重稅」這兩個字。大部分的財政，都出在稅上。日本在臺實施專賣可以說是一種最厲害的間接稅，它佔歲入的百分之四十不用說，其他的租稅，昭和十年的統計，也佔歲入百分之十五，印花稅收入尚不在內。砂糖消費稅在明治四十三年達一千二百十一萬元，佔總歲入的五分之一以上，這都是從臺灣人的身上剝出來的。（註三）

從稅的名稱看，不勝枚舉，例：礦區稅、噸稅、骨牌稅、織物消費稅、酒精稅、出港稅、樟腦稅、製糖稅、蔗車稅、製茶稅、毛織物消費稅、石油消費稅、賣藥印花稅、家稅、地租附加稅（本稅百分之五十）、營業稅（二十四）種、雜種稅（十八種）、所得稅附加稅（本稅百分之十七）。又有所謂「市稅」、「街庄稅」，國稅之外，另加「市稅」、「街庄稅」，重重盤剝，在一個牛的身上，日本人要剝幾張皮。有的雖然有所更改，但它們確在捐稅史佔過最重的史頁。

除此之外，還有許多莫名其妙的稅，像對生產木炭、龍眼乾、筍乾者每百斤課以二十錢，對檳榔一棵課以七錢至十錢，對蒐集竹林中雜末枯枝而賣出的，每擔爲大人課三錢，如爲婦、孺課二錢。連拾枯枝雜末也要課稅，那眞是世界捐稅史上聞所未聞的。

臺灣捐稅項目繁多，眞是傷天害理，連日本統治者也覺得很難爲情，認爲不可告人。曾任臺灣行政官的後藤新平道：「世人談到臺灣成功的，都抽象的指出臺灣財政的獨立，而概括其餘。其實，臺灣財政的獨立，不過迫于當初帝國對于殖民地統治輿論的危急，而作緊急處置。其結果所產生的流弊，不僅不能讓外國知道，即臺灣人也有不能讓他們知道的地方。」

（註四）這正是日本人不打自招的話。

日本在臺灣的專賣有五種：阿片、食鹽、樟腦、煙草、酒。

阿片專賣，從明治三十年三月就開始，阿片煙膏用波斯產生阿片，由專賣局工廠製造，製好的成品，由地方官廳以保管轉換的方式分配給批發商，由批發商轉賣零售商，然後再轉過「癮君子」之手。日本人對阿片專賣說得很漂亮，對國際宣傳也講得很中聽，說是採漸禁主義，事實上，它是着眼于一年二百多萬元的煙膏利益收入。

食鹽專賣在明治三十二年開始，據臺灣總督府的說法，是在「自買自賣，以利民生」事實上，它是從生產到消費都控制在他的獨佔手上。以低價在鹽民的身上搭出了鹽，以高價賣給臺灣老百姓，從中漁利。過剩的鹽，就運回日本，供應它國內鹽的不是，並因此而得到廉價工業鹽。因爲鹽是人民必須的生活品，鹽的專賣，連臺灣的乞丐都被剝削到了。

樟腦專賣，也和鹽的專賣同年開始，開始的時候，它是交三井物產等採製，由專賣商收購的，大正八年才統一于臺灣珠式會社。日本人的說法，樟腦專賣，是在資源確保，產業振興，免爲臺灣人粗製濫伐。是的，臺灣人在滿清統治時期對於樟腦，也確是粗製濫伐，但日本專賣之後，臺灣人連改良土製的機會都沒有了。產業振興後的樟腦，只供臺灣總督府向紐約，倫敦市場輸出，換取外滙，臺灣老百姓却沒有份的。

煙草專賣，是在日本內地開始實施後一年才在臺灣公布的，這是明治三十八年的事，這也是從生產到消費，一連串爲日本人所控制的事業，連農民所生產的煙葉，都爲臺灣專賣所賤價收購。

酒專賣是較阿片、食鹽、煙草遲得很久才實施的，開始的時候，是在大正十一年（西元一九二二年）七月。日本人的說法，說是因爲過去臺灣的土製酒製法幼稚，品質不良，爲保護衞生，所以開始酒專賣，這也是鬼話。專賣後的臺灣酒，品質好到那裡？衞生到那裡？凡是飲過臺灣專賣酒的人都知道的很清楚。有一點正確不移的，那是酒集中生產于專賣工廠之後，使後來散于全島的二百餘所釀酒廠，從此關門大吉。（註五）

追本探源地追究臺灣的專賣，專製、專運、專配、專銷，其目的是控制臺灣的經濟，達成它搜括政策。臺灣專賣的收入，佔臺灣全年歲收比例很大，不但充實它的國庫並且它把專賣的批發權交給日本和日籍退休官吏，零售商則交由日本的偵探和親日份子一手包辦。間接解決它的失業問題和幫助它在臺灣的統治。可以說日本人太狠毒了。

二、所謂「工業日本，農業臺灣」的政策

「工業日本，農業臺灣」這個口號，不僅僅是日本政府的一貫政策，就是日本民間的經世家也極力提倡。例如，日本最大宗派的京都西本願寺法主大谷光瑞伯爵，他是日皇裕仁的連襟，他一向以殖民政策的專家自居，他曾經很明確地指出，臺灣應該是一個農業殖民地，如果能這樣做的話，臺灣就會變成「日本的如意寶珠」。（註六）於是有的日本人，配合日本的「工業日本，農業臺灣」的政策，來臺投資，試種咖啡和試養綿羊等……農牧事業。而想在日本統治之殖民地發一筆橫財。

在二次世界大戰前十幾年間，日本國內吃的米，將近兩成要靠臺灣供給。糖和香焦等更

要全部靠臺灣供給。臺灣出產最好的香焦，在東京吃臺灣的香焦當然是很貴，但是臺灣農民却很便宜的賣出了他們的水果，然後再高價去買日本的工業產品。（註七）就因爲日本本國是如此依靠臺灣的農產品之供給，所以日本人對臺灣農產的改良煞費苦心。例如，他們把臺灣的在來米，改良成蓬萊米；臺灣甘蔗品種改良等……。主要增加臺灣農產品的收成，滿足他們的需要。

日本人爲了貫徹他們「工業日本，農業臺灣」的基本政策，就千方百計地去禁止臺胞經營任何工業。因此，一些有錢的臺胞，只能把資金用在收購田地上去。如果要想開辦公司，也必須和日本人合作才行。

日本人爲了鼓勵有錢的臺胞，能夠安心去當地主，所以對於他們的收租問題，就派日本警察協助催收。此外，爲了優待大地主，就任命他們當各種有職無權的公職，並且分別授給他們勳位。小則是農業會會長，水利會會長等名譽職，大則是州、府的評議員。日本人所以要優待地主，就是爲了叫他們斷念工業，而死心塌地地去做地主。（註八）

三、日本資本獨占一切

日本人對殖民地點滴不留的剝削，堪稱世界之聞名。以前是日本人對殖民地傾銷商品，而掠奪原料，投下資本吸收巨利，用這樣的方法來剝削。今天是用「技術輸出」來剝削，所以有人批評今天的日本對東南亞國家的經濟政策，叫做技術帝國主義。

此種新的技術帝國主義比老式的帝國主義的推銷商品，掠奪原料，投下資本吸收巨利，面貌比較斯文一點，但是我們不能看他的面貌斯文，就忘記他的剝削本質。引進日本的技術，佔便宜的是他們，吃虧的還是我們。（註九）

日本人對殖民地之人民，不但想盡辦法剝削，而且要獨佔。不像英、美，固然從它的殖民地賺了大錢，但是在他們統治的殖民地人民，也可以靠主人混一碗飯吃。

大家都知道，英國停泊在香港經營遠東航線的大輪船，通常只有船長是英國人，其次的高級職員是葡萄牙等歐洲二等國家的國民，再次的船員和服務生是印度人，等而下之的苦工是非洲黑人，至少英國人沒有獨佔。

反觀日本人對殖民地的人民就不同了，日據時期，從神戶等大港口開來臺灣的萬噸輪船，自船長起一直到火伕，清一色均由日本人自己來當。這個事實反映出，日本人是獨佔殖民地的一切利潤，連一點殘羹都不肯留下。（註一〇）

二次世界大戰前，英國人統治錫蘭、馬來亞，美國人統治菲律賓，但是英美人很少移來殖民居住，只是少數官員，商家在風景區蓋上幾棟大洋房，高高在上地統治着殖民地而已。

因此，殖民地的人民，可以完全保持他們自己的語言、風俗、習慣，而生活不受干擾。可是日本人就不同了，在日據時期到過臺北的人都知道，當時在臺北二十萬人口當中，日本人幾乎佔了一半，而且把臺胞謀生的機會都給搶光了。日本人就連藝妓、娼婦、酒女、傭人、苦工、賣豆腐的、賣麪條的，甚至於叫花子，也都一律由日本人自己包辦，而不給殖民地人民留一點剩飯殘羹。可見日本人在殖民地是，大魚要吃、蝦米也要吃，眞是可怕極了。（註一一）

再者，日本人廉價商品，充斥整個臺灣市場，臺灣原有的小生產者和小商人，因爲無法與日本人競爭都破滅了。

臺灣原有的商店叫做「行」，商人的同業公會叫做「郊」，總稱「行郊」。自從日人佔據臺灣以後，因爲日本的各大商人都直接到臺灣來開店，這些行郊就都因爲沒法和日商競爭而沒落。英國人和德國人在臺灣原有的買辦制度，也由於日商直接獨佔採購的盛行，以致使買辦無法和日人競爭，後來也都慢慢走上破滅的一途。（註一二）

在臺灣歐美洋行的買辦制度，到宣統二、三年（民前一、二年）間，就完全沒落了。代之而起的，是日本的三井等大商家，他們壟斷了全臺灣的進出口貿易。（註一三）可以說，日本在臺灣，獨佔一切。

面對此一經濟剝削情勢，臺灣生活之困苦，對日本憤恨自不待言。從一九一一年林杞埔事件中，劉乾揭櫫抗日義舉之導火線，爲反對竹林放領問題，而此一問題之能齊集臺民，及臺籍志士之抗日口號，率以日方之經濟剝削爲主題，如一八九六年詹振、林季成從事游擊戰時檄文，云：「日本盡是貪官汚吏……犯有左列大罪，……買賣要抽稅。臺民被迫，奮然起義。」（註一四）羅福星與臺籍志士謝德香等，「互相論及日本統治臺灣，專用帝國主義之搾取政策，優遇其本國人，而欺壓在地人。」決「以革命手段，推翻日本帝國主義外，別無自救之路」（註一五）等，由此可見臺籍志士之抗日，實有不得已之苦衷，日本在臺統治之種種經濟剝削及迫害我臺胞，無路可走，祇只走向抗日的道路而求自救。

【附　註】

註　一　江炳成：古往今來話臺灣，幼獅文化事業公司出版，民國七十三年十一月三版，頁二四八。

註　二　臺灣史蹟研究會、臺灣叢談，幼獅文化事業公司印行，民國六十七年十月再版，頁四九〇。

註　三　馬銳籌：臺灣史，民國三十八年九月初版，頁一八七。

註　四　同前註，頁一八八—一八九。

註　五　同前註，頁一八九—九一。

註　六　馮作民：臺灣歷史百講，青文出版社出版，民國六十九年十月第五版，頁一八五—一八六。

註　七　同前註，頁一八六。

註　八　同前註，頁一八七。

註　九　林衡道口述、鄭金木紀錄：臺灣史蹟源流，青文日報社出版，民國七十六年二月初版，頁二四九。

註一〇　同前註，頁二五〇。

註一一　同註六，頁一八〇—一八一。

註一三　同前註，頁一八二。

註一四　「臺灣省通志」卷九革命志抗日篇，頁一六。

註一五　同前註，頁四〇。

第三節　教育上的歧視

日本是一個島國，亦是一個軍國主義國家，在臺統治五十年中，為配合其國家之政策，對於臺灣所實施之教育，實可謂帝國主義的教育，尤其在國民教育（即初等教育）此一階段上之表現最爲顯著，主要是消滅民族觀念，一方面提倡皇民化，多方面獎勵學生改日式姓名，俾使遺忘祖國文化，好供其奴役。同時在教育上日本人與臺灣人也有差別，在日據時期中，本省同胞升學之限制極嚴，僅於國民學校特設二年制高等科與專修科，俾造就各種低級之技藝人材。至於國民國校學生之課程，則有第一、第二、第三號表之區分；日籍兒童用第一號表，臺灣兒童用第二號表，山地兒童用第三號表。（註一）此種差別教育，祇有在日本殖民地才能看到。另外大量培植低級技藝人材，學工商者極少，學農者獨多，不外在國民教育造就低級技藝人材之前提，俾易供其驅使爲目的。在教育方式上，採取嚴厲之訓導方法與注入式教育；軍國主義國家之政治，多係獨裁制度，其表現於教育方法上，尤其殖民地之教育方法，更爲極端嚴厲。校長與教員均係官吏，校長有無上權威，教員亦分等級。即男女性別與高低年級學生之間，亦有不同。教員過校長室門前，縱是校長不在，亦須鞠躬致敬；低年級見高年級學生，必須敬禮，否則必受辱挨打。教員體罰學生則爲理所當然。教室上課，教師之言論即爲眞理，不容有懷疑或分辯之餘地。教學方法以注入方式爲主，六年期間過去，即告畢業，並無留級或退學，亦無啓發其智慧。在日本統治下之殖民地之教育，無須發現人才與天才；祇須每個兒童接受日式教育，能做一個良好馴民，爲日本天皇盡忠，爲日本驅使就達到目的了。

總之，日本在據臺五十年間，所施於本省之教育，實爲一狹義之國家主義式的教育，而無世界人類所共通之一般性與理性之存在。蓋無論教育之理論或實質，均未合乎一般現代民主國家之原則與要求。（註二）實爲日本帝國主義本身之利益而教育，亦堪稱爲奴化教育。

一、奴化教育

日本在臺灣的奴化教育，以「國語學校」（日語）和「師範學校」開始，它這樣做，一方面因日本初來臺灣，它要臺灣人懂得日語，給它做翻譯；二來它要臺灣懂得日語，容易推行它的政令。師範學校，它是要爲奴化教育造就一批師資，便於推行奴化教育，沒有他們，日本奴化教育就很難推行，所以日語學校和師範學校作爲初期教育的基幹，是和日本的侵略政策相符合的。（註三）

日本佔據臺灣之初，臺胞根本不想接受日本教育，而是打算繼續讀原來的書院，準備學成後回祖國去考秀才、舉人、進士。（註四）可是日本人一面展開了基本教育，一面取締臺灣人辦的書房，日本人初侵臺時，臺灣人堅守「書房」陣線—爲日人奴化教育對抗，在書房繁盛時期，它和公學校勢均力敵，明治三十五年（西元一九〇二年）；臺灣的公學校學生爲一九五八一人，書房的學生爲二九七四二人，比公學校學生多了一萬多人，在日本人壓迫下，後來使漸漸退減，到昭和九年（西元一九三四年），由明治三五年的書房數一六二三減爲一一四間，後來甚至連一間都沒有了。（註五）

日本佔領臺灣之前，臺灣有「書房」、「書院」和由外國傳教師辦的各種近代化學校。但是這些書院和學校，後來都被日本的小學校、公學校、中學校取代了。關於這一點，從下面「一八九九至一九二六年書房與公學校對照表」中可以看出：（註六）

項（年代）目	書房數（所）	學生數（人）	公學校數（所）	學生數（人）
一八九九	一、四二一	二五、二一五	九六	九、八一七
一九〇二	一、六二三	二九、七四二	一三九	一八、八四五
一九〇三	一、三六五	二五、七一〇	一四六	二一、四〇三
一九〇四	一、〇八〇	二一、六六一	一五三	二三、一七八
一九二六	一二八	五、二七五	五三九	二一、六〇二

日本在臺灣所實行的殖民地教育，是和他整個國策看齊的，最初他注重國語（日語）教育和師範教育，到資本主義的預備工作完成，日本資本要向臺灣來，它又要臺灣教育爲它訓練的技工和低級會社員，所以這一時期的臺灣教育，又注意實業教育。注意實業教育的命令是大正八年頒布的，跟著，它開了許多工業學校、農業學校、商業學校，小學校也附設實業

科，女子學校也特別注意技藝，到昭和九年，職校數爲三四，實業補習課還不在內，光復前夕，職校數爲二十七，職業補習及其他學校爲九九。

日本人對臺灣的基本教育和實業教育非常重視，到了高等教育就不是那樣了。臺北帝大一直到昭和三年（民國十八年）才開設，它還是爲培養侵略南洋的人才才開設。到了高等教育上，才顯出日本人之陰謀，它不讓臺灣人有高深的知識，使他容易達到「民可使由之，不可使知之」的目的。特別有關啓蒙民權思想的文法科，他不讓臺灣人讀。昭和九年（民國二十四年），臺大學生共一三九人，臺灣人只有二十九人，尚佔不到四分之一，民國三十四年，臺大學生共一六六六人，臺灣籍的只有三三二人，尚佔不到五分之一，而大部還是農、醫科。

日本人爲了獨佔臺灣教育，校長清一色是日本人，教員也百分之八十都是日本人，臺灣籍教員的位子，只佔百分之十。（註七）

日本佔領臺灣五十年，其所實施的教育，一言以蔽之，即殖民地教育，（亦就是奴化教育），然日本的殖民地教育與一般情形有別，蓋一般殖民地教育通重視高等教育，有甚於原住者的初等教育，以便培養統治者的助手，同時使一般庶民愚昧，以便統治，英國在統治印度時即是如此。日本的殖民地教育，在初等教育方面，只注重國（日）語傳授，以爲（同化）的手段，高等教育則多方排除臺灣同胞的就學機會，其手段之陰毒，有甚於西方帝國主義國家。

日本此種陰毒的殖民教育，可由光緒二十九年（西元一九〇三）當時的臺灣總督府民政長官後藤新平在學事諮問席上的致詞看出，後藤說：「在總督尚未指示政治的大方針時，何能表示教育的方針，教育可以說是無有方針……這個會議是以國（日）語普及爲目的，只要討論如何去普及國（日）語就夠了……對於智育開發我們必須防止陷入荷蘭及印度之弊害……只知道教育是好事，未經深思熟慮，使貿然開設學校，乃是貽誤殖民政策的做法。」（註八）從後藤以上這一段話，就可知道日本對臺灣的殖民的教育（奴化教育）乃注重於同化，並非眞正爲臺灣同胞之教育而教育，其日本之陰毒殖民教育，可想而知了。

二、差別教育

日本人佔據臺灣之後，以征服者的姿態，在政治上劃了一條線，分爲日本人與臺灣人來「統治」，經濟上儘量剝削之外，同時在精神上也要支配臺人。

在精神的支配，最重要的手段當然是教育。對於臺灣人的教育，可以說在不平等的「愚民教育」及「差別教育」同日本國之教育大有相同。

他們對臺灣教育這個問題處理上自初就很愼重，對傳統的舊式書房教育，雖然知道於「

統治」上不太好，也不適合時勢，可是初據臺時期未敢遽然加以廢除。對於新式教育，雖然普遍地實施最低限度的普通教育，但對於中等教育以及高等教育則嚴加限制，不使臺灣人自由升學。他們後來雖然在臺灣創設中等教育、高等教育，其目的一來是爲裝飾門面，表示他們願意順應時勢潮流，二來是爲旅臺的日人子弟不必遠涉重洋就可以升入高等學校。換言之，這異族統治者本來就無意造就知識水準較高的臺灣人，只授以普通教育夠供其驅使就算了。因此，教育政策人對臺灣人和對日本人都顯著的差別和不平等的措施，而且這種差別和不平等的教育，在任何方面都可以看得到。（註九）

日本在臺灣的基本教育分爲「小學校」和「公學校」，小學校是爲日本兒童設的，公學校是爲臺灣小孩設的，日本人把臺灣人視爲奴隸，奴隸應該受奴隸教育的，當然和日本兒童所受的教育要有差別，所以除了數學一課彼此相同外，其他所有教課書，公學校都有另外一套。到大正十一年（西元一九二二年）說是採全學制，和日本內地一樣，撤廢「差別教育」也不過有名無實。（註一〇）完全是一種欺騙而已。

日據時期，教育山地兒童之機關，稱爲教育所。此與平地之小學校、公學校間有甚大之差別。考山地同胞之性情雖表面近於粗野，而本性純眞質樸，重信義，若能施以適當之教育，則可漸矯正其行爲，絕非難事。日本政府有見於此，並爲便於統治山地族計，乃致力推行「

蕃人」教育。初亦藉日語傳習所以並及日語。旋於光緒三十年（西元一九〇四年）創設山地教育所，以教化山胞。授以禮法、日語、算術、農耕等。至其行政系統，則隸屬於警務局，由警察兼任教員。迨光緒三十一年（西元一九〇五年）日語傳習所廢止，而施公學校制，爲使山胞方便就讀計，乃於同年初發佈「蕃人就學條例」及其規程，規定其修業爲四年；其教科目爲修身、日語、算術，更得依當地情形酌予加設農業、手工及唱歌等一科或數科，與平地公學稍異，致其使用之日語教科用書，係日臺灣總督府所編纂之「蕃人讀本」，凡四册，其他與公學校同。接近平地的山胞，得入公學校就讀。

民國三年（西元一九一四年）四月十八日，日臺灣總督府發佈「蕃人公學校規則」，其主要規定除修業四年制外，得依實際需要，另設三年制科。學齡規定爲八歲以上始，而女生得加授裁縫、家事等科。後來「蕃人」子弟就學條例廢止，又發佈「新公學校規則」，日本當局爲統一山地教育方針，又制定「教育所之教育標準」以爲設施山地教育的準繩；其教科目計有修身、日語、算術、圖畫、唱歌、體操及實科等。至民國二十四年到二十八年，山胞子弟被收容於公學校者，爲數不少，至其教科課程，較一般公學校稍低而少，此亦難免之事實。（註一一）

總之，日人所設之教育所，針對山地同胞生活環境，爲養成日化之奴隸精神便於被日人驅使，其性質與日本所謂之「小學校」及「公學校」都有差異，因此，日人對山胞之教育極不平等，所以後來山胞反抗日人之統治，亦有其因吧！

在整個日據臺灣時期，在教育方面。普通教育不平等，中等以上的學校，至於高等教育都不平等。日據臺初期，他們設小學專門收容日籍學生，設公學專門收容臺籍學生。到了第一次世界大戰後，日本人由文官任總督，爲「順應時勢」，於民國九年四月公佈共學制度，臺籍子弟也可以入小學校與日本子弟共學，但這祇限於成績好家有財產，且須經州廳批准。因此，實臺灣人子弟入小學校者寥寥無幾。（註一二）同時小學校的設備、經費、師資、教學課程等任何一點都比公學校好，所以限制臺灣人子弟讀，這是很不公平的。中等以上的學校，在民國四年（西元一九一五年）以前，除了一家師範學校以外設有收容臺灣人的學校，以後爲臺灣爲對象而設立的大都是授技術教育爲目的，初期日本學生的修業年限是五年，臺灣學生則是三年或四年，後來才取銷這種區別。這些學校本來是爲日人而設，所以招生錄取率臺灣人很低，他們錄取臺灣學生特別嚴格且有很多限制，實在太不合理。至於高等教育，幾乎由日本人獨佔。據民國二十七年的統計，高等學校尋常科一六一人，內日本人佔一四三人，臺灣人僅十八人，高等科（等於大學預科）文科學生二〇〇人，內日本人一七六人，臺灣人僅二四人，理科二〇五人，內日本人一三三人，臺灣人七二人。臺北高等商業學校（等於商專）學生總數二一七人，內日本人佔二一五人，臺灣人僅十二人。臺南高等工業學（等於工專）學生總數二一六人，內日本人佔一八五人，臺灣人僅三一人。臺北帝國大學附屬農林專門部學生總數一五九人，內日人佔一五一人，臺灣人僅佔八人。臺北帝國大學專門部學生總數一九四人，內日本人佔九一人，臺灣人一〇三人，臺灣人佔的比例較多，原因是在臺灣缺乏醫生，日本人醫生多又不肯來臺，因此才允許臺灣人讀醫科來充任臺籍醫生。臺北帝國大學錄取人數七四人，內日本人佔五九人，臺灣人僅十四人。更糟糕是中等以上學校的臺籍畢業生大都無法擠身機關、銀行、公司等較穩定的地方工作，以致成爲「高等遊民」。（註一三）

以上所舉，均爲事實，日本人據臺期間，所辦這種「殖民地教育」極爲不平等，也不公平，差異太大，本省同胞在其日本殖民地政策壓迫下，精神生活是怎樣的辛酸苦痛，由此，可以推想而知了，所以日據時期，全省各地不斷地發生抗日事件，當然有它的原因。

【附　註】

註　一　臺灣省文獻委員會編印，臺灣省通志，卷五教育志第一册，臺灣文獻委員會出版，民國五十九年六月三日，頁三。

註　二　同前註。

註　三　馬銳籌：臺灣史，民國三十八年九月初版，頁一六九。

註　四　馮作民：臺灣歷史百講，青文出版社印行，民國五十四年出版，頁一九二。

註　五　同註三，頁一七〇。

註　六　同註四，頁一九六。

註　七　同註三，頁一七〇—一七二。

註　八　黃大受：臺灣史綱，三民書局印行，民國七十一年十月初版，頁二五一。

註　九　臺灣史蹟研究會彙編，臺灣叢談，幼獅文化事業公司印行，民國六十七年十月再版，頁四九三—四九四。

註一〇　同註三，頁一〇〇—一〇一。

註一一　同註一，頁三八—四〇。

註一二　同註九，頁四九四。

註一三　同前註，頁四九六—四九七。

第四節　法律上的不公

日本在統治臺灣五十年間，對臺灣予以何種法律上地位，是値得我們硏究的問題。日本在臺灣初施軍政，無論政治司法一切均由軍事當局總攬。日本廢止軍政以後，關於臺灣統治方針則兩派見解。一主急進，一主漸進。急進論者以臺灣爲日本統治權所及之範圍（即領域）爲理由，主張：「日本法制當然適用於臺灣，由此方得永保臺灣」。漸進論者則以爲：「臺灣人與日本人在言論、風俗、習慣方面各有不同，其道德觀念與社會組織亦有不同。因此，以採取特別法制主義爲妥。……」。兩說均言之成理，各有依據。故日本佔據臺灣之初，其根本統治原則仍未確立。但日本政府鑑於當時臺灣之治安狀況終採用後說。同時臺灣總督取得特殊的立法權，光緖二十二年（西元一八九六年）。臺灣以法律第六十三號頒布「有關施行於臺灣之法令」而確立了臺灣殖民地統治原則。故自此法律公佈以後，臺灣人民整個命運即操在臺灣總督一人手中。（註一）

所謂「六三法」臺灣總督頒布後，日本有此學界仍繼續在「六三法」問題之名義下指摘其違憲至爲激烈。但在廢止以前，日本政府仍設法延長其有效時間。至明治三十九年（西元一九〇六年），始以法律第三十一號重行立法。限增加一限制即『律令』不得違背依勒令指定施行於臺灣的法律亦附以有效期限之限制，則與前第六十三號法律同。至大正十年（西元一九二一年）以法律第三號撤廢有效期限之限制時止，前後二十餘年委任立法問題迄未解決。

然由此法律第三號頒布以來，臺灣總督之特殊立法權即委任立法權遂成爲常法。在日據時代，由統治形式看來，臺灣確係與日本本土之法律有其不同。受其所謂「領域與法域不同」的原則支配。日本本土法令並非實施於臺灣。故不僅在經濟上、政治上，甚至於法律上臺灣均處於日本殖民地之地位。（註二）臺灣同胞在日本統治五十年所遭受之苦痛及不平等待遇，實在是罄竹難書。

一、日本慘酷統治臺灣的「六三法」

日本攫取臺灣之初，因爲他們以前從來沒有統治殖民地的經驗，故其在臺灣之措施，大多效法西洋諸帝國主義國家統治殖民之後塵。因爲當時臺灣同胞「義不臣倭」，各地義民抗日武裝鬥爭此起彼落，使得日本總督及官員疲於應付，坐不安席，而日本之法律又不適合臺灣的實際情形，於是日本人絞盡腦汁，才在光緒二十二年（西元一八九六年），趁著該年三月三十一日撤廢軍政，四月一日恢復民政的機會，由日本國會通過公佈了「法律第六十三號」，它就是日本人宰割臺灣同胞的「六三法」（註三）

六三法集立法、司法、行政之權於總督一人手中，對於臺灣同胞操有生殺之特權。此一法案通過本來是以三年爲期的，可是後來每逢期滿，總督總要請求延續，一直到己酉本省光

復的前夕，這法雖然有過四次的修改，而且也已被戰時動員法沖得等同虛設，但實際上仍然繼續有效。（註四）

日本政府敕令臺灣施行民政的同時，並由國會通過了法律第六十三號，同年四月一日起施行，其條文如下：

第一條：臺灣總督得在其管轄區域內，發出具有法律效力之命令。

第二條：前條之命令，應依臺灣總督府評議會之決議，經拓務大臣奉請勅裁，臺灣總督評議會之組織以勅令定之。

第三條：臨時緊急事故，臺灣總督得不經前條之手續，而公佈第一條之命令。

第四條：依前條公佈之命令，公佈後仍應立即奏請勅裁，並報告臺灣總督府評議會，不經勅裁時，總督應即公佈該命令向後不生效力。

第五條：現行法律或將來發佈之法律，其全部或一部施行於臺灣者，以勅令定之。

第六條：本法律自施行之日起，經滿三年時，失其效力。

這一法案第一條就開宗明義規定「臺灣總督於其管轄區域內，得公佈有法律效力之命令」其主要內容就是說臺灣總督可以不經中央立法機關，得權宜在臺灣發出與法律同等權限之命令。其「臺灣總督府評議會」之成員，係由總督，民政局長、軍務局長、民政局部長、軍務局部長民政局參事官等總督府高級職員組織的，簡言之，即由總督和他的部屬組織的，故實可視爲日本政府准許臺灣總督獨裁，賦予他掌握生殺予奪全權的法律。這一法律，也就是日本歷經半個世紀統治臺灣的張本，並爲臺灣總督統治臺灣的立法基礎。（註五）

二、六三法延伸出來的法條及刑罰令

光緒二十二年（西元一八九六年）七月九日，臺灣總督即以「六三法」爲依據，而以律令第一號公佈「臺灣總督府法院條例」，其條文如下：

第一條：臺灣於下列情形，認爲有必要時，得於適宜之地，開設臨時法院，不受普遍裁判之管轄，另行審判。

一、有以顚覆政府，僭竊邦土，以及其他以紊亂朝憲之目的，有所犯罪時。

二、以反抗施政，進行暴動爲目的，有所犯罪時。

三、以加害政府要員爲目的，有所犯罪時。

四、關於外患罪，有所犯罪時。

第二條：臨時法院以五人判官審問裁判之，其判官非具有高等法院或覆判法院判官之資格者，不得充任之。

第三條：臨時法院之預審，令由覆審法院判官或地方法院判官爲之，並令其報告結果。
第四條：臨時法院檢察官，由高等法院或覆審法院檢察官或警部長權充之。
第五條：臨時法院書記，由高等法院或覆審法院書記充補之；但有不便時，得以地方法院書記權充之。
第六條：臨時法院之裁判，以第一審爲終審。但對於法律不罰之行爲予以課刑，或課以法律所定之刑更重之刑者，得由其法院或高等法院檢察官，向高等法院提出上訴。
第七條：訴訟手續，在本律令未加規定者，悉依照通常手續爲之。但再審之訴，應由高等法院予以受理，認有再審之原因者，應毀棄其原判決，並應在就該案予以判決。

可見「臨時法院條例」之審判對象，乃爲反抗日本統治之政治犯，採用單審判，速審速決，有如軍事法庭。此條例在兒玉總督上任後，於光緒二十四年（西元一八九八年）十一月以律令第二三號將臨時法院條例予以修正，改爲原來判官五人之合議制爲三人，並以律令第二四號公佈「匪徒刑罰令」，其條文如下：

第一條：不問目的如何，爲達其目的，以暴行或脅迫，結合多衆，即爲匪徒之罪。

一、首魁及教唆者處死刑。
二、參與謀議或指揮者處死刑。
三、附和隨從或服雜役者，處有期徒刑或重懲役。

第二條：有下列各號記載之行為時處死刑：
一、抵抗官吏或軍隊時。
二、放火燒燬建造物、火車、船舶、橋樑時。
三、放火燒山林、田野之竹林、穀麥、或露積之柴草及其他物件時。
四、毀壞鐵路及其標識燈台或浮標，發生火車、船舶往來之危險時。
五、毀壞供用於郵政電信及電話之物件，或以其他方法，發生妨害其交通時。
六、殺傷人或強姦婦女時。
七、掠取人或掠奪財物時。

第三條：於前條之罪未遂犯罪時，仍科本刑。

第四條：資給兵器、彈藥、船舶、金谷及其他物件，會給予會合場所，或以其他行為幫助匪徒者，處死刑或無期徒刑。

第五條：藏匿匪徒，或圖免匪徒之罪者，處有期徒刑或重懲役。

第六條：犯本令之罪者，向官自首者，視情況減輕其刑，或全免、免本刊時，五年以上之監視。

第七條：於本令應罰之行爲，雖在本令施行前，仍應本令處斷之。（註六）

察其條文，可見此「匪徒刑罰令」之嚴苛程度，比之軍法，猶有過之而無不及，而日人也唯有依賴此嚴刑峻法，才能鞏固其統治，乃用來對付我抗日志士及臺胞（此法僅適用於臺灣人）實在太不公平了。臺胞所受之苦痛，無處喊冤。（註七）苗栗事件發生後，即在苗栗設置「臨時法庭」。西來庵事件發生後，即在臺南設置「臨時法庭」。都是依據此「匪徒刑罰令」審判，羅福星與余清芳等重要幹部均被判處死刑，可以說他們爲不願受日之壓迫，反抗日本之獨裁而犧牲了生命。其他志士雖未被判處死刑，但受之處分，亦極嚴苛。有的被判三年、五年、十年、十五年不等，甚至有被判無期徒刑，長期被關在監獄裡，受到百般折磨，其精神所受之痛苦，不難想像他們是如何痛恨日人在臺之暴政及獨裁專制之統治。

三、法律上不同的地位

日據時期，臺灣可以說是日本人的樂園，他們在政治力的保護下，享有特權，一切可以暢所欲爲，生活悠哉悠哉，相反地，臺人在壓力和榨取下，精神上物質上都飽嘗痛苦，直接間接所受的殘害，實不堪言。

我們在上面也曾說過，他們以法律第六十三號確立了臺灣總督的獨裁權，臺灣總督可以任意頒布與法律有同等效力的律令，臺人的生殺予奪都操在他的手裡，以處分抗日份子爲目的的「匪徒刑罰令」便是其殘酷的一個好例子。（註八）

臺灣在日本領有之初，民事裁判，係地方習慣及法理而行，刑事則依軍令治罪。至明治三十一年（西元一八九八年）民事、商事、刑事之事項，應依日本之民法、商法、刑法、民事及刑事訴訟法，唯關於土地之權利，則不依民法物權編之規定，而從舊慣。臺灣人及中國人外，無他關係者之民事商事之事項，及關於臺灣人、中國人之刑事事項，一切照舊，至翌年三十二年對於此等，亦適用以日本法之民事及刑事訴訟法，即大概與日本人有關之事項，依日本法以便日本人之活動與日本人無關之事項，則尊重舊慣。從而明其舊慣而確定權利關係，爲統治上及殖民者發展之所必需。於是乎，明治三十年（西元一八九七年）設臨時臺灣舊慣調查會，而爲法制及經濟之舊慣調查，於四十一年（西元一九〇八年），更開始對高山族之各種舊慣調查，而四十二年，本調查之結果，以制定特別法爲目的，而設立法部，經審各種法案。然隨統治之發展，臺灣與日本，至有法制連結的必要，終於大正七年（西元一九一八年），依共通之制定而設日本帝國本土及各殖民地相互間之關涉規定，更至大正十二年

（西元一九二三年），廢止向來之臺灣民事令，而施行民法、商法、民事訴訟法及其他附屬法于臺灣。其結果，就有關土地之權利，亦爲日本民法物權法所適用，不動產登記，向來爲權利移轉效力發生要件者，與日本同樣成爲對抗要件，向來被拘束之單以臺灣人，中國人不得設立股份有限公司。（註九）由以上所言可知，臺灣人與日本人，在法律上根本就不平等，日本人佔盡了便易，臺灣人吃盡了虧。

日本由來對於殖民地立法，以不依本國之議會爲原則，此地殖民地，爲新附屬領土，社會情形不同之故。對臺灣以明治二十九年（西元一八九六年）法律第六十三號規定「臺灣總督，在其管轄區內，得發布有法律之效力之命令。」此總督之命令，因有法律之效力，故稱爲律令而法律之全部或一部之須施行於臺灣者，則以勅令定之。

對於臺灣之立法，原則上委諸總督之律令權，此乃爲欲行適應臺灣之特殊情事之立法，而達成統治殖民地之目的。

日本爲追隨國家權力而入臺灣，在國家權力保護之下而發展，國家權力之確立，爲在臺灣的發展的根本問題，關於領臺初之軍事的征服，其後之土匪之討伐，理蕃事業等。（註一〇）均依日本人之利益爲利益，不顧殖民地之人民死活，訂定很多不合理的法律，因此日本人與殖民地之人民，在不同的法律下，當然就產生不同的地位。所以在法律上也顯見之不公平。

【附註】

註一　臺灣省通志，卷三政事志，司法篇，第一册，臺灣省文獻委員會出版，民國六十一年十二月三十日，頁七四。

註二　同右，頁七五。

註三　林衡道口述、鄭金木紀錄臺灣史蹟源流，青年日報社發行，民國七十六年二月出版，頁三〇八。

註四　臺灣史蹟研究會，彙編、臺灣叢談幼獅文化事業公司印行，民國六十七年十月再版，頁四五五。

註五　黃大受：臺灣史綱，三民書局股份有限公司出版，民國七十一年十月初版，頁二九七。

註六　臺灣省通志，卷九革命志，抗日篇（全一册），臺灣省文獻委員會出版，民國六十年六月三十日，頁七七。

註七　蔣子駿：羅福星與臺灣抗日革命運動之研究，黃埔出版社發行，民國七十年十二月出版，頁一三九。

註　八　臺灣史蹟研究會、臺灣叢談、幼獅文化事業公司印行，民國六十七年十月再版，頁四八七。

註　九　矢內原忠雄著、陳茂源譯，日本帝國主義下之臺灣，臺灣省文獻委員會印行，民國六十六年四月修正版，頁一八四——一八五。

註一〇　同前註，頁一八六。

第四章　國民革命與臺灣的關係

第一節　國民革命的目標

國父孫中山先生自從幼年時期，就喜歡聽講太平天國軼事，對洪楊革命非常欽佩，常以洪秀全第二自居。當他十三歲時隨母楊太夫人赴美國檀香山：始見「輪舟之奇，滄海之闊，自是有慕西學之心，窮天地之想。」遂頓起改造中國之念。在美國求學，到十八歲回國。當時看到「堂堂華國，不齒於列邦；濟濟衣冠，被輕於異族。朝廷則鬻爵賣官，公行賄賂；官府剝民刮地，暴過虎狼」（註一）國父因萌推翻滿清救國救民的大志，他曾自述說：「生於晚世，目不得覩堯舜之風，先王之化。心傷韃虜苛殘，生民憔悴。遂甘赴湯火，不讓當仁。糾合英雄，建旗倡義。擬驅除殘賊，再造中華。以復三代之規，而步泰西之法，使萬姓昭甦，庶物昌運，此則應天順人之作也。」這就是　國父當時的思想和主張。光緒十一年（西元一八八五年）中法戰爭，清廷和戰乏策，以致喪師失地，　國父深深感到清廷腐敗無能，喪權辱國，因此，決心推翻滿清。（註二）尤以在中日甲午之戰，清廷敗績，遂後割讓臺灣、澎湖求和， 國父孫中山先生更加深受刺激，於是乎就在檀香山創立興中會組織，毅然地提出革命的目標，推翻滿清政府，建立中華民國，其次收復臺灣、澎湖，還我故土人民（註三）之主張。

一、臺灣爲國民革命的一個支流

從歷史的淵源來看臺灣，雖然早在甲午中日戰爭之後，它就被無能的清廷拱手讓給日本，但 國父孫中山先生在檀香山創立興中會組織，對於失去臺灣之國土並未忘懷。並提出恢復臺澎，鞏固中華，作爲革命重要之目標。

光緒二十三年（西元一八九七年） 國父派興中會會員陳少白來臺，與楊心如聯絡（楊鶴齡的堂弟），他是在廣州第一次起義失敗後來到臺灣，在臺北永樂町美時洋行當買辦。陳少白經楊心如介紹，結識了僑商容祺年、吳文秀和趙滿朝，由於他們的熱心協助，於是在臺灣組成了興中會臺灣分會，入會的人也非常多。（註四）至於 國父孫中山先生非常重視臺灣，對臺灣同胞有格外深厚的感情，我們可以從他多次蒞臺的史實中以見一班。（註四）

第二次起義， 國父在廣東惠州起義，命鄭士良作準備， 國父之計畫，由惠州向東部沿海地區推進，直抵厦門。這一次起義，以臺灣爲聯絡指揮的中心地點。雖然庚子（西元一九〇〇年）惠州起義，以臺灣爲聯絡指揮中心，但是發號司令的總部，仍設於　國父搭乘的日輪佐渡船上。

惠州起義之前，　國父派平山周等先行來臺預爲布置，平山周偕日籍志士山田良政、宮崎寅藏等蒞臨臺灣。當時日據臺灣第四任總督兒玉源太郎及民政長官後藤新平，對中國革命表示同情，尤對　國父孫中山先生備極崇敬。所以後藤新平即代表兒玉源太郎，與　國父保持妥切聯繫。　國父抵臺後，先住臺北長房號，不久即在新起町（即今長沙街一帶）租了一棟房屋，作爲惠州起義總部，臺北指揮總部的主要工作，在發號施令，籌措軍械，並招募軍事人員，充作革命軍的基本幹部，播下革命種子。雖然　國父在臺灣如此，可是在中國大陸主持惠州起義的鄭士良，因初戰皆捷，爲早日攻奪廣州，與　國父規劃光復厦門後，再由臺灣作爲基地的構想，適背道而馳，致被較強的廣州清軍，展開反擊，使革命接濟不及功敗垂成。並與此禍不單行，日本內閣改組，伊藤博文繼山縣有朋組閣。伊藤博文素不同情中國革命。（註五）深怕　國父革命成功後，提倡民族主義，影響日本對臺灣及東北之統治。所以對　國父的留臺指揮革命，深表嫉視，同時下令臺灣總督兒玉源太郎，禁止軍械出口及臺灣青年參加中國革命。於是　國父在臺居住一個多月，不得已而離開了臺灣。

光緒三十一年（西元一九〇五年），　國父鑑於全國各會派並不一致，應合組新團體以從事革命之必要。隨後議定合組之新團體名爲「中國革命同盟會」。八月二十日，中國同盟會在日本東京正式成立，加盟的共有三百餘人，後來有人不斷參加，不到一年已有會員一萬餘人，會員遍及十七個行省，各省先後成立支部。（註六）

同盟會成立後，臺籍同志或響應祖國革命而起義抗日，或捐獻軍餉以利革命工作之進行，或親至內地實際參加革命行動，可歌可泣之壯擧，前仆後繼。宣統二年（西曆一九一〇年）九月，中國同盟會臺北分會成立，由臺南籍同志翁俊明主其事，主要份子有蔣渭水等人，會務發展至爲迅速。（註六）

辛亥革命成功，民國建立，爲祖國帶來了光明的遠景，也爲臺灣同胞帶來了希望。祖國在滿清專制的統治下獲得了自由，臺胞也應從殘酷的日本殖民統治下獲得拯救。在民族思想的啓示下，羅福星他看到祖國同胞已從滿清的專制束縛下解救出來，享有自由，民主和幸福的生活，臺灣父老卻仍在日本的暴虐統治下，淪爲異族的奴隸，他認爲同是黃帝的子孫，同是是大漢民族的手足，不應當一部分人自由，一部分人仍被奴役。因此，他決定把革命的新目標指向臺灣，要在國民革命的同一旗幟下，驅逐日本帝國主義者對臺灣同胞的統治，使臺灣早日重回祖國懷抱。（註七）羅福星爲實現光復臺灣，拯救臺胞的計畫，他時常奔走廣州，經常同胡漢民，黃興等革命同志接觸。由於他們志同道合，因此，他們之間的情感，也愈來愈密切。此時國內革命雖告底定，但三百多萬臺胞仍在異族的統治下，飽受蹂躪。光復臺灣原是　國父的願望，於是羅福星時常和胡漢民談到臺灣抗日的問題。羅氏早居臺灣，不堪日本之殘酷統治，才離開了臺灣回到祖國並參加同盟會。因此，他對臺灣各種情況頗爲熟悉，知道臺胞不滿日本之苛政，經常反抗其統治。他主張在中國革命同盟會臺灣分會策劃下，透過黨的組織結合一切反日力量進行抗日革命運動。胡漢民對他的構想，頗表贊同。（註八）俟後，羅福星奉黨之命令來臺組織革命抗日團體，並在苗栗建立指揮中心，以中華會館爲主體，三點會，革命會爲外圍，以宣傳祖國革命成功爲號召，推翻日人統治驅逐日人光復臺灣爲終極目標。由於宣傳宗旨正確與運用得法，革命的發展極爲迅速，不到一年，招募同志即將近十萬人。（註九）

羅福星來臺策動抗日革命工作，在祖國由於辛亥革命，武昌起義的成功，更鼓舞了我臺胞的民族意識，振奮了全島的人心。再加上羅氏宣傳的影響，於是一群有血性、有良心、有民族意識的愛國青年，紛紛都參加了羅氏所領導的革命行列。在民國元年底至民國二年終，臺灣各地曾發動了四次起義革命事件（註一〇）這四次起義，先後由陳阿榮、張火爐、李阿齊、賴來領導，分別在南投、新竹大湖、臺南關廟及臺中東勢角等地起義。四次起義，可以說都是深受辛亥革命起義成功的影響而發，後來雖然日本當局極力避免提革命志士與中國革命有關；但若干有關臺灣事實的記載，卻又不能不承認臺灣志士之反日義舉，乃受中國國民革命成功的影響，即臺灣總督府所編之警察沿革誌，亦率直承認。（註一一）本來臺灣割讓日本後，臺胞在日人高壓政策下，始終就被視為奴隸，內心對日非常不滿，遇有機會，大家都會起來反抗。再加上辛亥革命成功，更鼓舞了臺胞抗日的信心。因此，羅福星來臺領導抗日革命運動，大家都積極參與，聲勢更為浩大，如此龐大的革命組織及大規模的在各地展開行動，不能不為日人注意。前面曾經談過，由於陳阿榮等先後起義，已引起日人特別提高警覺，所以到處都是日警，時時刻刻都在搜捕檢查。況且在此龐大複雜的組織會員當中，大家都沒有受過保密訓練，對保密常識一般都缺乏素養，在談吐行動上，可能由於少數一、二人不注意，就會發生洩密事件。果然，由於羅氏之部屬葉永傳拍給吳覺民的電報洩密。此時，日人已佈下天羅地網，凡是風吹草動，他們都會注意。後來葉、吳在苗栗召開會議，於開會時被捕，並株連了很多羅福星之幹部，羅氏本人也遭日人捕獲，日人在苗栗設置臨時法庭，羅氏及其重要幹部被判處死刑，另被處十五年、十年、五年者甚衆。雖然羅氏在臺抗日事件落幕。可是受羅氏及辛亥革命成功之影響，如羅阿頭領導之六甲抗日事件，余清芳領導之西來庵事件，都與此有密切關係。因此，臺灣為國民革命的一個支流，有很多事實的存在，是不可否認的。

二、光復臺灣爲革命的一個目標

甲午（西元一八九四年）這一年，在中國近代史上是個關鍵性的年代，清廷對日作戰的慘敗，一方面暴露了清廷的弱點；曾國藩、李鴻章等所經營的「自強運動」並不足以禦侮自強；另方面刺激了志士仁人救亡圖存的意識行動—革命運動與維新運動都以甲午這一年爲起點，而急劇的發展與壯大。在革命歷史上，甲午這一年更是國民革命的歷程起點；志切救國並心懷壯志的有識之士，開始在 國父孫中山先生的號召下，爲中華民族的前途與福祉貢獻其智慧、力量，以及寶貴的生命。（註一二）中日簽訂馬關條約，割讓臺灣、澎湖給日本，全國人民非常憤恨。於是 國父就在檀香山創立了興中會，以「驅逐韃虜，恢復中華，創立合衆政府」爲誓約，並聯絡中外有志華人，講求富強之學，以振興中華，維持國體，著重在號召國人救亡圖存。我們 國父倡導革命，爲了推翻滿清，建立民國及收復臺灣，還我故土人民。因此，光復臺灣爲革命主要目標之一， 國父在臺灣失陷的這一年，就在檀香山創立興中會，當時發佈宣言，就提出「恢復臺灣，鞏固中華」的口號，此後我們全國革命黨員，無時無刻無不本著 國父的遺教，努力奮鬥，決心湔雪國恥，全力光復臺灣，民國二十六年我們舉國一致，發動神聖壯烈的對日抗戰，於是光復臺灣更成爲我們革命同志積極爭取的目標。先總統　蔣公在民國二十七年四月一日，在國民黨臨時全國代表大會中曾經明白宣布：「臺灣是我們中國的領土，在地勢上乃是我們中國安危存亡所關的生命線。中國要講究眞正的國防，要維護東亞永久的和平，絕對不讓我們臺灣永久統治在日本帝國主義者的手中。爲要達成我們國民革命，遏止野心國家擾亂東亞之企圖，必須針對著日本帝國主義積極的陰謀，以解放臺灣人民爲我們的職志，這是　總理生前所常對我個人以及一般同志所訓示的。總理的意思，就是我們必須使臺灣的同胞在政治經濟上能夠恢復平等自由，使臺灣同胞能恢復國家主人翁的地位，才能鞏固中華民國的國防，奠定東亞和平的基礎。」（註一三）同時又說：「我們以全國人民的決心和毅力，忍受著無數生命財產的損失和犧牲，對暴日進行堅靭英勇的抗戰，到了民國三十二年，我親赴開羅與英美領袖舉行三國會議，決定日本歷由中國所奪取之土地，如臺灣、澎湖群島及東北四省等歸還中國」。至是我們失去了五十年的臺灣已經確定了爲中華民國的一部分了。俟三十四年八月十五日，日本軍事總崩潰，宣布無條件投降，我國即按照預定計畫進行接收失土的工作，而淪陷五十一年的臺灣省也就正式歸還我國的版圖了。大家要知道，光復臺灣是一件極艱難的重大收獲。自從我們　國父創導革命以來，爲了臺灣的同胞和土地，我們就與日本帝國主義無時無刻有形無形在長期之中，不斷的作著激烈而慘痛的鬥爭，這次抗戰，全國同胞又復經受多少直接間接的犧牲，不知道流了志士多少熱血，斷絕了同胞多少頭顱，才使這淪陷五十一年的臺灣，重返回了祖國的懷抱。然而在此五十一年之中，我們臺灣同胞雖遭受敵人的殘暴的壓迫，但是中華民族革命的傳統精神，並未有絲毫的喪失，自從明末清初民族英雄鄭成功的反抗滿清，恢復臺灣以後，連續的就有唐景崧、劉永福、邱逢甲等領導臺民抵抗日本，都驚天地而泣鬼神的光榮悲壯的史實。即在日本佔領時期，本省同胞的抗日運動亦復相繼不息，如林大北事件、柯鐵之雲林事件，簡大獅事件，林少貓事件，蔡清琳之北埔事件，劉乾之林杞埔事件，羅福星之苗栗事件，羅阿頭領導之六甲事件，余清芳之西來庵事件等，都是愛國的革命精神表現，深望全省同胞，記取全國及臺灣革命先烈慷慨犧牲恢復不易的史實，我們今後更應刻苦努力，團結合作，擴展先烈愛國革命的精神和毅力，同心一德的來建設臺灣，建設三民主義的新中國。（註一四）完成　國父領導革命的目標。

【附　註】

註　一　陳少白，興中會革命史要，中央文物供應社，民國四十五年六月出版，頁五。

註　二　葉蔭民：中國現代史話，中華日報，民國六十三年八月一日出版，頁三。

註　三　曾廼碩：國民革命與光復臺灣，中央日報，民國六十八年十月二十五日，第十一版。
註　四　同註二，頁一二。
註　五　曹景雲：　國父與臺灣，中央日報，民國七十年二月二日，第一〇版。
註　六　史公「臺灣革命史料」二則，載「臺灣問題參考資料」第一輯。
註　七　羅秋昭：抗日先烈—羅福星，近代中國双月刊（第十九期）近代中國雜誌社印行，民國六十九年十二月二十日出刊，頁二九五。
註　八　羅秋昭：羅福星傳，臺北，黎明文化事業公司，民國六十三年二月初版，頁四二。
註　九　羅福星抗日革命全檔（全一册），臺灣省文獻委員會印行，民國六十六年四月十日修正版，頁三七—四一。
註一〇　陳三井：羅福星與國民革命，國魂（第四二四期），頁四九。
註一一　李雲漢：國民革命與臺灣光復的歷史淵源，幼獅文化事業公司印行，民國六十九年七月三日出版，頁四〇。
註一二　慶祝第三十六屆臺灣光復節特刊，中央日報編，民國七十年十月二十五日，第十四版。
註一三　蔣總統思想言論集：蔣總統思想言論集編輯委員會編，中央文物供應社發行，民國五十五年十月三十一日出版，卷十九，頁一五六。

註一四　同前註，頁一五七。

第二節　興中會與臺灣的關係

中日甲午戰爭，清廷失敗，就在這一年，　國父孫中山先生在檀香山創立了興中會，其宗旨以「驅除韃虜，恢復中華，創立合衆政府」爲其目標，當然光復臺灣也爲恢復中華主要目標之一。興中會創立第二年，也就是光緒十一年（西元一八九五年）十月二十六日（農曆九月九日）決定重陽節在廣州發動起義，由於計畫不週，遷延時誤，致遭人告發而失敗。國父在廣州策動第一次起義失敗後，即偕同陳少白、鄭士良前往日本，且留陳少白聯絡日本志士與留日華僑。（註一）　國父前往美國而後轉往倫敦，陳少白在日本活動，　國父於一八九七年再度到了日本時，已頗有進展，這時日本民黨（進步黨）正掌握政權，頗同情中國革命，當時得知　國父來日本，民黨領袖犬養毅派宮崎寅藏，平山周到橫濱迎接　國父往東京相會。　國父和犬養毅見面後，晤談甚歡。（註二）由於日本同情中國革命，陳少白因向國父提議，想赴臺灣聯絡同胞，發展組織，八月　國父乃派陳少白到臺灣，陳氏透過各種管道，中請來臺，聯絡臺灣同胞，從事發展黨務的工作。

一、陳少白來臺的經過

光緒二十三年（西元一八九七年）七月二日，　國父離開英國取道加拿大東歸，八月初抵達日本橫濱。陳少白向　國父提議擬往臺灣一行，聯絡臺灣同胞，發展黨務，　國父完全同意。據陳少白所云：「自從甲午戰敗，滿清政府把臺灣割給日本之後，年來不知攪到怎樣一個地步，我沒有到過臺灣，我倒要前去觀察觀察，那裡我有一個日本朋友約我去看他，我能夠在那裡活動，或者可以把那裡的中國人聯絡起來，發展我們的勢力，豈不較勝呆住在這裡」。（註三）由於　國父同意他的計畫，陳少白便開始作前往臺灣的安排，他首先到神奈川縣，要領到臺灣的護照，該縣知事却誑以不需護照，只須將來歷說明，臺灣人即可容許登岸。所幸陳少白來臺之前，曾由友人的幫忙，獲得了一封神戶縣知事介紹他見臺灣警察廳長及臺北縣知事的信，依靠這封信，雖然受了日本巡警的言語威偪，倒也被允准在臺灣住下來，只是此後行動要受日本偵探的嚴密監視。（註四）

陳氏來臺的目標是到臺南訪一位日本律師。途經臺北，記起舊同事楊心如，傳聞在此經商，竟然一找便著。並認識一些朋友，而後赴臺南。陳氏云：「當時我到臺灣，其實也太過馬虎，因為在臺灣只有一個未嘗見過面的日本朋友在臺南當律師，又係朋友介紹，若果尋他不着，就不堪設想了。」「幸而當我決意往遊臺灣時，有一個日本醫生，姓後藤名新平，為人幹練多才，係新任臺灣總督兒玉的至交密友，那總督要他到臺灣共事，就保薦他做了臺灣民政長官，還未赴任，日本友人知道我也要到臺灣去，便介紹我去見他，把我要漫遊臺灣的事告訴他，請他幫忙，他也慷然應諾。」（註五）後來 國父策動惠州第二次起義，那時的臺灣總督為兒玉源太郎，民政長官後藤新平，都非常同情中國革命，甚至答應提供人力、物力協助 國父在臺革命，是否與此有關，尚需要進一步去研究。

陳少白從神戶到臺灣以後，據他所云：「第二天，就從基隆乘火車到臺北城去。」「到了明天，我就去見廳長，廳長剛到日本去了，他的代理人代見。」「又去訪臺北縣知事，那知事看了信，十分關切，並派他部下外事課課長特別招呼請吃飯，亦係一種刺探之意。」案：當時臺北警部長為磯部亮通，臺北縣知事為橋口文藏。（註六）陳氏又云：「我在臺北，一個人都不認識。」「記得一個同過事的朋友，傳說在此經商，但不知落在何處。……他們說在一間辦茶的洋行，叫良德洋行裡。……楊心如果然跟著小夥計來了……我同楊心如進去，見過了他東家吳文秀，……回到良德洋行住下。……一住便過了十多天，在這十幾天內，照約去見那民政長官後藤新平，把要到臺南的話，告訴了他。又回吳、楊介紹認識了個廣東大商趙滿朝、容祺年等，同他們談起革命，總算投機。」（註七）後來吳文秀、趙滿朝、容祺年等都加入興中會臺灣分會，成爲會員。

二、興中會臺灣分會之成立

陳少白在臺北的活動告一段落後，即啓程到臺南，原想多連絡幾位同志，雖然也遇到了幾位厦門人和廣東人，但一方面由於這些人還不大懂得革命的道理，另方面日本警廳派了四個偵探，嚴密的監視著，致使他在臺南行動很不自由，沒有吸收到革命同志。（註八）後來陳氏由臺南又回到臺北，即在這年的冬天，十一月上旬時（註九），與楊心如、吳文秀等組成了興中會臺灣分會，或稱臺灣興中會，會所設在楊心如的住宅。這是革命黨人首次在臺灣建立的據點，也是臺灣同胞直接參與祖國革命運動的開始。（註一〇）次年閏三月上旬，陳氏由日本再到臺灣，停留了將近半年的時間，對於臺灣同志的聯絡工作，確盡了他的本分。

分析起來，陳少白兩次到臺灣主要的目的，聯絡臺灣同胞，組織革命團體。得楊心如、吳文秀、趙滿朝、容祺年等贊成革命，組成了興中會臺灣分會，後來推動臺灣地區抗日運動，實在有相當重要的角色。緣自一八九四年興中會創立於檀香山後，第一個支會於一八九五年成立於日本橫濱，第二個支會於一八九七年成立於臺北，不僅印證了臺灣與大陸密切不可分的關係，也說明了臺灣地區的抗日運動所追求的目標，完全與祖國革命運動息息相關，在辛亥革命運動期間，臺胞有的用金錢支援，也有的直接參加革命起義行動，而共同追求的目標，對祖國而言，光復臺灣，收回失土，對臺胞而言，早日脫離異族統治，重回祖國懷抱。可以說，祖國的革命與臺胞抗日運動，目標完全一致。

光緒二十四年（西元一八九八年），陳氏重來臺灣。陳氏云：「我同孫先生在東京住了幾個月，臺灣方面的朋友，常有信來請我再去。」「這次到臺灣約有半載，加入的會員，雖然仍是不多，但是募到的錢，也有二三千塊。我還記得當時聞得康有為在北京失敗，六人殉難，我就在臺灣聯同幾個友人開了一個追悼會，在臺灣約六個月，重復回到日本來。」陳氏旋奉　國父命到香港辦中國日報，鼓吹革命同時作為革命總機關。（註一一）

陳氏自言來臺之前，先晤後藤新平，告以遊臺事，請其幫忙，抵臺北之十多天中，照約往見，「把要到臺南的話，告訴了他。」當時臺灣總督為乃木希典，民政長官水野遵，戊戌二月四日臺灣總督更換，由陸軍中將兒玉源太郎接替乃木希典。二月十日後藤新平就任民政局長官，陳氏時在日本。閏三月陳氏二次來臺，後藤新平仍在臺北。二月及閏三月與後藤同處日本、臺北，均可會晤。

又陳氏與服部交往，稱其為臺灣新報總編輯，並得其助，發表興中會消息與臺灣新報，臺灣新報爲日人於丙申六月創刊，戊戌五月合併臺灣日報，改組爲臺灣日日新報，陳氏八月初到臺與臺灣新報總編輯服部相識，陳氏遊臺詩發表於臺灣新報，是在丁酉九月上旬至十一月上旬，確可證明。（註一二）

臺灣新報大部分爲日文，報導日軍與地方義民作戰，傷亡及勝利，亦有地方人士歌頌日軍統治者。是時是地，當然不便作革命活動，陳氏幸得服部之贊助，在日本官辦臺灣新報，發表遊臺詩。更借題傳播革命消息，尤屬難得。（註一三）

陳少白氏嗣在臺南活動受阻，服部亦曾予聲援。陳氏自述在臺南時，服部　囑其學生盡力照顧，有云：「那學生知道我受四個日本偵探監視，就暗中寫信告訴了服部，服部同幾個關切的朋友，大動公憤，在報上大罵臺南當局，說一個外國文人，花錢到這裡遊山玩水，爲甚麼當強盜般把人監視起來，如此顢頇的政府，豈不令人齒冷，衆口同聲地竟把四個偵探罵退了。」案：丁酉十一月三日臺灣新報第三版（日文版）十一月二十日臺南通訊有一節題爲：「洋裝散髮之清國人」，爲陳少白諷臺南地方警務當局，其文曰：「近來臺南城內，頻傳唐景福（案當作劉永福，以在臺南也。）復將來臺，其舊屬清兵與臺人，亟謀合作，頗思有所舉動。有散髮二人漫遊，訪問地方士紳，自言爲廣東在野文人，從事考察及計畫經營實業曾赴諸洲訪名家，增廣見聞，從事實業，吟詠山水自然，遊美三載，遊居日本內地有年，今來臺，頗能英語，略懂日語。其中一人名陳白，年二十七、八歲，眉清目秀，宛然一貴公子，寄旅月餘，仍有二人尾隨偵察其行動，調查眞象。彼等現住德商美打洋行。」臺灣當時在日軍統治下，而臺北市郊及南部鄉區，臺胞仍多武力抗日行動，地方新聞，十之八九爲軍事消息，此通訊名爲記治安傳聞，實以外國文人來遊，交往士紳之間，竟偵探經月，尚未明情況，以諷地方警察當局，陳氏所謂服部憤言，諒指此也。（註一四）

據陳少白自己所云：「他在臺灣募到的錢也有二、三千塊錢」之多，可見當時在臺的同志熱中革命，踴躍捐獻。衡諸當時的環境，臺灣割讓日本不久，日本政府對臺胞之統治非常嚴苛，在多面的牽制，監視之下，臺籍志士能有如此表現，參加祖國革命行動，實在難得，當然反映出臺胞對日人在臺暴虐統治之不滿，同時也說明　國父領導的革命運動，以光復失土爲目標，臺胞爲脫離異族統治，故響應祖國革命。從日後　國父來臺時，臺藉興中會會員竭誠贊助。如一九〇〇年，　國父首次來籌畫惠州起義時，臺灣爲光復大陸的策源地，固然，當時臺灣總督兒玉源太郎同情我們革命，有利在此策畫，但在臺的同志已熱烈響應也是主要一個條件，如楊心如等協助　國父各方奔走，恪盡革命黨員的本分；又如吳文秀也爲　國父周旋，無微不至。　國父第二次起義來到臺灣作爲策源地，其歷史淵源肇始爲此吧！

綜言之，陳少白應　國父之囑，來臺組織興中會臺灣分會，起初會員雖僅有楊心如　吳文秀、容祺年、趙滿朝及莊某等，初具規模。而後陳氏雖然第二次來臺，訪問當時臺灣日本民政局長官後藤新平，並指導此地會務活動。其後在臺之會務，據陳少白講，均以通訊方式經常聯絡，在歷史上雖未有明確的記載。但興中會臺灣分會成立之後，對臺灣地區志士之抗日運動；在精神方面有相當的鼓舞作用，不僅在辛亥革命時期臺籍志士，有的出錢、有的出力支援祖國革命而發生了密切關係，甚至在整個革命的歷史過程中我臺胞都有相當的貢獻，因此，可以證明臺灣與大陸同胞的關係是息息相關，血肉相連，永遠是分不開的，共同爲革命的目標而奮鬥。

【附　註】

註　一　陳少白：「興中會革命史要」，中央文物供應社，民國四十五年六月版，頁三六。

註　二　葉蔭民：中國現代史話，中華日報印行，民國六十三年八月一日出版，頁一一二。

註　三　同註一。

註　四　同前註。

註　五　曾廼碩：國父與臺灣的革命運動，幼獅文化事業公司發行，民國六十七年三月出版，頁二七。

註　六　同前註。

註　七　同前註，頁二九。

註　八　柯惠珠：日據初期臺灣地區武裝抗日運動之研究，前程出版社出版，民國七十六年四月初版，頁二〇七。

註　九　黃季陸：「臺灣與國民革命的關係及有關資料」，載「中國現代史專題研究報告」，第五輯，頁二〇九。

註一〇　陳三井：國民革命與臺灣，近代中國出版社出版，民國六十九年十月二十日初版，頁九。

註一一　同註五，頁二九。

註一二　同前註，頁三〇。

註一三　同前註，頁三二。

註一四　同前註，頁二四—二五。

註一五　同註九，頁二〇九。

第三節　同盟會與臺灣的關係

興中會是　國父領導革命首創的第一個組織，對革命的事業樹立了一個里程碑，具有啓發引導的作用。由於滿清政府之官吏腐敗無能，對外割地賠款，對內欺壓百姓，引起國人普遍不滿，大勢所趨，不但　國父創立興中會，而且蔡元培在上海成立光復會。黃興在湖南組織華興會與同仇會，蔣翊武在武昌成立科學補習所。實際上興中會之革命活動，僅限於珠江流域。光緒三十年（西元一九〇五年）七月十九日，　國父自歐洲經南洋抵達日本橫濱，各省留學生來謁見的絡繹不絕。在　國父未東歸之前，留日學生界以華興會領袖黃興最符人望，其重要份子在東京的有宋教仁、陳天華、劉揆一等十餘人，他們都和宮崎寅藏有往還。　國父抵日本，宮崎寅藏於七月二十八日在東京鳳樂園介紹黃興、宋教仁與　國父相晤，　國父並希望兩會（興中會和華興會）合併，增強其實力。見面後，　國父問到華興會組織情形，陳天華將在湖南籌組情形及在長沙起義失敗經過，作了一次詳細報告：　國父分析革命大勢和方法，並指示他們說：「中國現在不必憂各國之瓜分，但憂自己之內訌，此一省欲起事，彼一省亦欲起事，各自號召，不相聯絡，終必敗。如：秦末二十餘國之爭；元末朱（元璋）、陳（友諒）、張（士誠）、明（玉珍）之亂然。若此時各國乘機干涉，則中國必亡無疑矣。故現今之主義，總以互相聯絡爲要。」

國父立論滔滔，大家嘆服，於是決定兩會合併，並約於七月三十日，在日本東京赤阪區檜町之番黑龍會，召開中國革命同盟會的籌備會議。（註一）

到會有中國本部十七省留學生（甘肅無留學生）六十餘人，公推 國父爲主席。 國父在會中指示全國革命各會派，應合組新團體以從事革命之必要，大家均無異議。隨後議定合組之新團體名爲「中國革命同盟會」。（註二）

八月二十日，中國革命同盟會正式在日本東京成立，加盟的共有三百餘人；後來陸續的又有請求入會者，不到一年，已有會員一萬餘人。各省先後成立支部，會員的籍貫遍及於十七個行省。（註三）紛紛參加由 國父孫中山先生所領導的革命組織，開啓了全國青年大結合的新局面。此一形勢的出現，不但使革命黨人增加了革命可「及身而成」的信心，也爲被割讓已達十年的臺灣同胞帶來希望的曙光。因爲只有國民革命的成功，才能使中國富強；只有中國富強，臺灣必然可以光復。（註四）在此種背景下，後來同盟會臺灣分會終於成立。

一、同盟會臺灣分會之成立

宣統二年（西元一九一〇年）春，中國革命同盟會會員，王兆培來到臺北。這位祖籍福建漳州的革命青年，是一位虔誠的基督教徒，同時也是一位堅毅的革命鬥士。他到達臺北後，一方面在臺北醫學校註册修習醫學，一方面卻秘密的在師友同學中找尋革命的伙伴，想在臺灣建立中國革命同盟會組織。終於他在同班同學中找到了志同道合的知己—臺南籍翁俊明（註五）。在王氏的影響與同盟會革命宗旨的感召下，是日後翁俊明加入同盟會之主要原因。

翁俊明先生，臺南市人，父親紹焕公，是一位通儒、精醫術，在家鄉行醫濟衆，是鄰里街坊所尊敬的大善人。焕公目睹倭人驕横，極爲憤慨，所以自翁俊明小時，即教他忠孝節義，愛鄉愛國的民族觀念。他誕生於民國前二十年，自幼聰穎異常，三歲那年，就在臺南天公埕表演識字，曾轟動一時，人皆稱爲神童。

民國三年，翁氏雖才十七歲，但就以優異的成績，考入臺灣醫事專門學校，準備繼承父親的志向，畢業後作一個懸壺濟世的好醫生，並施仁愛之心。

宣統三年（西元一九一一年）十月，武昌起義成功的消息，很快傳到臺灣，翁俊明和他的同學高與極了，大家口耳相傳，把這一個好消息傳播出去，大衆覺得，過去割讓臺澎給日本的腐敗滿清政府，已被推翻，相信在民國成立後，國家會很快強盛起來，臺灣也一定很快光復。（註六）

翁俊明一方面爲這個好消息而興奮的向外傳播，另一方面，他對推翻滿清的革命黨，充滿了嚮往的意識，雖然日寇嚴禁臺灣同胞參加中國的革命，一經查覺就要判很重的刑，甚至會處死，但自己的愛國的熱情，鼓舞著他，毫不畏縮。翁氏在王兆培的影響下於民前二年五月一日，宣示加入同盟會，成爲中國同盟會的第一位臺籍會員。同年九月間，中國同盟會設在漳州的機關部委任翁俊明（時化名翁樵）爲交通委員，負責發展臺灣會務，也同時宣告中國革命同盟臺灣分會的成立。（註七）

在王兆培、翁俊明的審愼推動下，同盟會在臺灣的組織逐漸展開。兩年以後，即民國元年時，會員已增至三十餘人，其中包括了嶄露頭角的民族與社會運動領導人物蔣渭水等人。會員分佈的範圍也已由臺北醫學校推廣到當時臺灣高等學府的國語學校及農業試驗場。他們並組織了一個「復元會」，秘密集會，討論政局，並研究如何能使臺灣光復。（註八）至民國三年十一月九日，該會在臺北艋舺平樂遊酒家舉行會員大會時，會員已增至七十六人。不幸的是，由於當時政治環境惡劣，這個具有四年活動記錄的革命組織，不得不於民國三年的年底宣告解散了。（註九）這實在是一件十分可惜的事情，但並沒影響爾後臺灣志士對革命之活動與各種貢獻。

同盟會臺灣分會之成立，具有深遠的意義。不僅說明臺籍志士在中國革命同盟會的旗幟下，建立了自己的革命組織，延續興中會以來的一貫革命精神，也以實際行動支援祖國的革命運動。顯示國民革命的香火已在臺灣傳遞點燃，同時臺灣的革命運動也將與祖國的革命運動結合滙流在一起，共同爲光復失土而努力。以期早日完成國民革命之目的。

二、臺籍志士在同盟會時期的貢獻

在同盟會時期貢獻最大的臺籍志士，莫過於臺灣史學之父連雅堂以及民族詩人丘逢甲。雅堂先生不朽巨著「臺灣通史」這是當時學術界的一樁盛事。連氏志在雪國恥、復族仇，撰史只達成此志的一種手段而已。

當時日本征服者血腥高壓的統治，人命不如鷄犬，設非借鹿諷馬，恐怕連氏在未完成此一歷史巨著之前，早已橫屍馬場町，飲恨作古了。連氏忍死著述，委屈求全，除爲復仇雪恥外，不作他想。（註九）

復仇雪恥，途徑不一，可以以牙還牙，訴諸武力；也可以藉著書立說，保存民族精神，孕育復國種子，以期後世子孫重振雄風。連氏選擇了第二條報國途徑；這是一條忍一時之辱的消極報國途徑，也是一樁長遠的，不能及身而成的民族運動。他何嘗不想採取第一條途徑，並幹一番立竿見影的革命事業？祇因日本征服者氣焰正盛，銳不可犯，而祖國正陷於軍閥混戰的割據局面；敵我消長之勢，利鈍得失之機，連氏瞭如指掌，計慮至周；與其無功而犧牲，毋寧忍辱以待時。因而他斷然師承「欲其榮，守其辱」的老氏故智，避免與日人進行流血的衝突，而以思想戰術熔解敵人的堅甲利兵。於是，他在周密的文網下鼓足勇氣，揮舞如椽之筆，埋頭著述。他把我國歷代的民族運動，民族精神文化和臺灣的宗主權的歸屬問題等，一一鎔入他的鉅著之中。（註一〇）保存了民族精神，宏揚了民族志節，也激起了臺灣同胞的愛國精神與抗日決心。

丘逢甲先生於乙未抗日失敗內渡後，初任韓山書院院長，繼應僑商邱菽園之邀，赴新加坡僑居，康、梁保皇黨力邀其參加，均被拒絕，且率直表示贊成　國父排滿主張。其後返粵，設立嶺東同文學堂於汕頭，尤注意啓發學生的民族觀念與自由思想，在該堂畢業者多成爲革命黨人，如何天炯、何天瀚、劉維燾、謝逸橋、謝良牧等均爲同盟會重要幹部；李恩唐、李次溫、林國英等曾參加黃花岡起義；姚雨平、鄒魯等則曾參與三二九黃花岡之役。尤以三二九之役失敗後，清廷全力搜捕黨人，時丘氏適任廣東諮議局議長，力加維護，鄒魯等人才未受深究。民國成立，他以臺灣歸國義士被推爲廣東省代表，參加首任臨時大總統選舉，公推舉　孫中山先生爲臨時大總統。（註一一）

再說臺籍同盟會會員參加三二九黃花岡之役，一九五一年起義之前，同盟會第十四支部部長林文（時爽）決定率十九位同志由日本前往參加，世居臺北大稻埕的林薇閣志士，聞知此事，即捐日幣三千圓，供給林文、林覺民等十九位同志，充旅費和購械之用。臺灣愛國詩人許南英次子名作家許地山胞兄許贊元，亦參加此役，事後被捕，正巧清軍副將黃培松與其父有舊識，才暗地予以釋放，贊元因此成爲生還的義士。另羅福星亦直接參加是役，身受重傷，僥倖脫險。（註一二）臺灣青年雖受日本統治，但是他們的漢民族的意識很旺盛，每朝起牀就閱讀報紙看中國革命如何進展，期盼革命成功。

民國成立，（註一三）二次革命失敗，由於袁世凱圖謀做皇帝之野心暴露出來，臺籍志士對袁之行爲都感到深惡痛絕，當時杜聰明和翁俊明憑著一股年輕人的血氣之勇，竟欲去北京謀刺袁世凱，但用什麼方法謀刺呢？杜氏在校時對細菌學特別有興趣，擅長各種病菌的培養，便建議將霍亂菌放進自來水的源頭，「毒死」袁世凱。民國二年八月，翁杜二人帶著三瓶霍亂細菌由基隆上船，經日本轉往大連，再經山海關，進入北京。到了北京，發現袁世凱府邸門禁森嚴，根本無法潛入，他們在北京盤桓數日，屢探形勢，知計畫不能成功，只好黯然返回臺灣。（註一四）他們暗算毒死袁世凱雖然沒有成功，但其勇氣和這種精神之表現，實在可佩。

【附 註】

註 一 葉蔭民：中國現代史話，中華日報印行，民國六十三年八月一日出版，頁二八。

註 二 馮自由：「革命逸史」第二集，中國國民黨黨史會發行，民國四十二年十二月版，頁一四六——一五八。

註 三 同註一，頁二九。

註 四 陳三井：臺灣近代史事與人物，臺灣商務印書館股份有限公司發行，民國七十七年七月初版，頁一〇一。

註 五 同前註。

註 六 劉本炎、翁俊明獻身黨國智仁勇風範長存，中央日報，民國七十年二月二日，第十版。

註 七 江炳成：古往今來話臺灣，幼獅文化事業公司出版，民國七十三年十一月三版，頁二九一。

註 八 葉炳輝：「杜聰明博士傳」，原載國語日報「書和人」第七期，民國五十四年六月五日出版。

註 九 陳三井：國民革命與臺灣，近代中國出版社出版，民國六十九年十月二十日初版，頁二二三。

註一〇　同前註。

註一一　同註七，頁二九〇—二九一。

註一二　同前註。

註一三　杜聰明著：第一輯「回憶錄」張玉法、張瑞德主編，文龍出版社股份有限公司出版，民國七十八年六月十五日初版，頁六三。

註一四　杜聰明：從毒殺袁世凱到光復時的一眶熱淚，聯合日報，民國七十年十月二十五日，第十四版。

第四節　臺籍志士抗日的事蹟

惟有失去自由的人，方知自由的可貴；惟有經歷亡國者，方知沒有國家之悲哀。在中華正統文化薰陶下，臺灣與大陸之歷史淵源是根深柢固，永遠都不能動搖和分離的，甲午之戰，日本雖以武力征服臺灣，但民族之文化和臺胞嚮往祖國之忠心愛國，永遠都不會變的。

甲午之戰，清廷戰敗，次年議和割臺，臺地士民憤而成立抗日政府揮戈抵禦，「願人人戰死而守臺，絕不願拱手而讓臺」。除此之外，依照馬關條約第五條：「本約批准互換之後，限二年內日本准中國讓與地方人民，其願遷居讓與地方之外者，任由變賣所有產業，退去界外；但限滿之後尚未遷徙者，酌宜視爲日本臣民。又臺灣一省，應於本約批准互換後，兩國立即各派大員至臺灣，限於本約批准互換後兩個月內，交換清楚。」規定，一八九七年五月八日，爲臺灣住民決定去留的最後期限，當時最後一批內渡者，計臺北縣一千五百七十四人；臺中縣三百零一人；臺南縣四千五百人；澎湖島八十一人，共計六千四百五十六人。估計全部返國人士在十萬以上，而當時全省二百五十四萬五千七百多人中，十分之八，九則係缺乏資金無法內渡者，雖後來尚有少數因生活所迫重返臺灣者，但自此以後，國人移民臺灣遂告一段落。（註一）但這些留下居住的臺胞，並非日本順民，而是迫於情勢及環境不得已罷了。

自日軍在臺灣北部澳底登陸，我臺胞組織義軍曾作不斷反抗，由北部，中部而南部，日軍一度受到重創，死傷甚爲嚴重。最後敵軍續至，義軍餉彈兩缺，得不到外援，漸感不支，迄臺南失陷，劉永福返國，義軍無領導人，只好退入山區，再與日軍作長期之周旋。

一、日據臺灣時期武力抗日的重要事件

光緒二十一年三月二十三日（日明治二十八年四月十七日），（註二）清廷簽訂了喪權

辱國的馬關條約，將臺灣、澎湖割讓日本。在簽約之前談判期間，中國朝野上下，都一致反對割讓臺澎；臺灣同胞更是悲憤萬分。割臺之初，臺灣地區即自動展開蓬勃的抗日運動，並且公推士紳邱逢甲、林維源、林朝棟等，要求當時的臺灣巡撫唐景崧主持大計，組織義軍，作爲抗日之領導者。日軍潛自澳底登陸，由於義軍衆寡懸殊，餉彈兩缺，不敵退走基隆，後來敵軍攻陷基隆，臺北秩序大亂，唐景崧逃回內陸，臺北接著陷敵。

這時黑旗軍劉永福在臺南佈告安民，號召臺胞抗敵，繼續抵抗日軍。劉永福的黑旗軍雖然很能打仗，但是沒有人接濟，又無能力補充，當日軍從四面八方包圍臺南的時候，劉永福冒險逃上一艘英輪，去了厦門。（註三）臺南失陷後，義軍退入山區，並向日軍展開游擊戰，繼續襲擊日軍。

臺灣的早期抗日運動，從光緒二十一年（西元一八九五—一九〇二）開始，連續七年之久，北自基隆，南至恆春，大小戰役數十次，日人窮於應付。（註四）臺灣地區早日的武裝抗日運動，可分爲北、中與南部三地區，其間或各自爲戰，或互相呼應，對臺灣地區的抗日運動，都有桴鼓相應之效，也使日本統治者窮於應付，不能高枕無憂。有關臺灣北、中與南地區抗日運動，略舉各地領導者及其英勇事蹟於後：

㈠、北部地區：

1.宜蘭：一八九五年十一月間，有林大北、林李成等人，先後攻擊宜蘭一帶日軍，合兵收復瑞芳、頭圍、羅東等處失地，圍困日軍於城內。次年一月十三日，日軍增援，始解圍而去。

2.臺北：一八九五年十一月十七日，詹振首先率部偷襲錫口（今松山區）日軍軍需轉運站，擊斃日兵二十餘人，破壞鐵路；簡大獅當日與日軍中面部隊，戰於淡水、關渡、士林諸地。以後簡大獅出沒於金包里一帶，一再突襲日軍，憲兵隊，陳秋菊出沒有深坑、新店一帶。翌年一月一日三人再與新竹義首胡阿錦相呼應，計畫奪回臺北失地，詹振攻東門，簡大獅攻北門，陳秋菊攻南門。激戰終日，詹振陣亡，簡、陳二人以兵糧不繼，撤兵而去。至一八九九年倡導抗日的臺東守將劉德杓（安徽人）被日軍所捕，潛返中國，清廷在日人要挾下，大獅被解返臺殉難，夫人則早已被害。

3.新竹：有胡阿錦、黃會初等，於乙未抗日期間（即臺灣民主國時期），殲日軍於老虎頭岡諸地，創一輝煌戰果。胡氏並在一八九七年元月一日，攻取臺北城之役，被擁為北部抗日領袖，失敗後回原籍廣東梅縣，民國九年，以八十二高齡病逝原籍。（註五）

臺灣北部地區之武裝抗日運動，自一八九五年六月基隆與臺北城先後失陷後，即蓬勃展開，首先揭舉義旗者爲吳得福，是年底，胡阿錦攻取臺北城之役，被擁爲北部地區抗日領袖，節制臺北、新竹、苗栗等抗日軍，當時抗日軍在臺灣北部地區的根據地，範圍極廣，不斷地突擊日軍。抗日軍原定十二月三十一日夜以大屯山和觀音山放火爲號，各路齊攻臺北，以嚇阻日本當局擬於次年元旦舉行慶祝（臺灣光復）會。不料各外圍戰事一一失利，一部分即退入山區中，改用游擊戰術，歷四、五年之久，予日軍極大困擾。（註六）

綜觀此種抗日精神，或緣於臺灣特殊的民風及中華民族奮鬥不屈的精神的發揚，或基於日本暴虐統治等因素，甚至不分省籍共同抵抗外侮，其代表著臺灣與大陸一體之關係，則甚爲明顯。

㈡、中部地區：

1.光緒二十二年（西元一八九六年），有草鞋墩（今草屯）李烏毛妻李朱氏，聚衆進攻臺中，使日軍一時不敢南侵。又有林李基、施慕、田榮、黃銅等率衆，戳日軍於埔里社一帶。

2.雲林有簡義、張若赤、張大猷、黃才、賴福來等，於一八九六年六月三十日，收復雲林失地，致林杞埔，南投、臺中等地首領，聞風響應，攻擊日軍各地軍警，雲林一帶治安紊亂如麻。後日臺中守備第四聯隊益日中佐，出兵再陷雲林，對村莊實施進剿，焚毀五十餘個村落，殺害無辜一千餘人，其餘村民相率入山抵抗。後簡義與日軍戰於南投等地敗績，又因軍糧彈藥不繼，張大猷等紛紛受日懷柔，脫離抗日組織，而停止活動。

3. 光緒二十三年（西元一八九六年）十月十五日，柯鐵（一名鐵虎）繼起於太平山。有清殘軍將領劉德杓，由臺東來，協助他抵抗日軍。十月二十三日，殲滅日一偵察隊，打死日將領一名，步兵多人。日當局調集大兵，進犯數次，柯鐵據險頑抗，使日軍損兵拆將，不敢再犯，而且與集集，林杞埔等地首領陳法、陳水、陳細條等，互相呼應，攻擊日駐軍及憲兵隊，破壞各地治安。日當局訴諸武力，不能征服他，就利用地方士紳入山去誘他出降。然均不能奏效，後來日大員白井新太郎親自出馬，去會柯鐵，排除日人間反對，接受柯鐵所提十項要求，允許柯鐵劃地自守，不相侵犯，始得保持該地一帶治安。這就是震動日本官民的鐵國山的抗日事件。

4. 光緒二十七年（西元一八九八年）一月，有詹阿瑞、賴阿來、莊錄、陳阿金等首領，領導義民二百餘人，出沒中部各地，襲擊日駐軍，擾亂治安，使日軍警防不勝防。（註七）予日軍最大威脅，使日人傷透腦筋。

分析臺灣中部地區之抗日活動，其主要抗日事件在雲林地區之鐵國山（原名大坪頂），此地爲一天然要塞，其抗日領袖，並非全爲本地人，如衆敬爲軍師之劉德杓，原係山東守將，自日軍陷臺東後，即參與北、中部地區之抗日運動，在鐵國山爲主要參與軍務者，爲中部抗日幫助很大，同時予日軍最大威脅。這也充分證明，臺灣與大陸同胞不可分之關係。

㈢、南部地區：

1.大莆林（今嘉義大林鎮），有簡施王；打貓街（今嘉義民雄鎮）有林玉衡，領導義民，破壞日軍治安工作。

2.黃國鎮起義於嘉義附近，阮振、陳向義等起義於鹽水港附近，二者領導義民曾一再襲擊嘉義附近日軍。光緒二十七年（西元一九〇一年）二月二十三日，日本當局以詐騙手段，迫令地方士紳出頭招撫義民諸首領一度向日投降，後來洞澈日當局的騙殺手段，執戈再起，出沒於三層崎、湅仔脚、後大埔、前大埔等地，繼續抵抗日軍。日本當局乃以憲警一千五百名，編成搜查隊，日夜進行搜查，因此，抗日義民及無辜百姓，多數遭難被害。（註八）

3.鳳山有林少貓領導義民，襲擊日本軍警。光緒二十七年（西元一九〇一年）正月四日，日軍以大隊軍警包圍港西中里下厝庄林少貓的抗日根據地，林少貓與同志二十餘人逃入加禮山，繼續抵抗，日當局無法敉平，乃派代表偕地方士紳入山議和，訂立十條件，由少貓占住鳳山後壁林一帶，自行耕墾免稅；部屬犯罪時可提訴少貓，不得擅行搜捕等，一九〇二年五月十二日，在阿猴街（今屏東市）銅鑼埔，舉行歸順典禮。五月二十八日，日當局密令臺南、鳳山、阿猴廳長，及第十五憲兵隊並混成第三旅團司令部，於五月三十日，出動大兵包圍溪州庄、後壁林庄、林少貓率衆倉皇抵抗，死傷慘重，少貓亦壯烈戰死。此後日本軍警，才逐漸確立各地治安。（註九）

臺灣南部地區主要抗日領袖爲嘉義大埔黃國鎭，鳳山屏東地區林少貓，此地區之抗日行動，常與中部地區之抗日活動互通聲氣，平時都有保持密切聯絡，遇有大規模之起義，彼此呼應，使日軍窮於應付，日軍顧此失彼，對義軍頗有無奈之感。

總之，臺灣地區之抗日運動，在歷史方面，深受中華民族文化之影響，臺灣向有與大陸同胞一體而不可分之關係。再加上日本之暴虐統治及對異族之歧視，更引起臺胞之不滿，遇有機會，就起來反抗，一波又一波，繼續不斷，只要日本在臺灣一天，他們就會與日本周旋反抗到底。我臺胞最終之意願，不把日寇驅逐離開臺灣，就不會終止抗日運動。

二、日據臺灣時期武力抗日被判刑人數表

年代	死刑人數	無期徒刑人數	十年以上徒刑	五年以上徒刑	五年以下徒刑	合計
明治二十九年（西元一八九六年）	二	三	六	三	—	一四
同三十年	—	—	—	—	—	—
同三十一年	一三八	二〇	九	一	—	一六八
同三十二年	五九八	九四	五五	九	五	七六一
同三十三年	九二三	二五一	二〇	七四	五	一、四六三
同三十四年	一、〇九五	二五〇	一六三	一五〇	三	一、六六一
同三十五年	六一三	四九	四二	二四	—	七二八
同三十六年	一二〇	一四	五	一		五〇
同三十七年	二四	—	一一	—	—	三五
同三十八年	—	—	—	—	—	—
同三十九年	五	一	—	—	—	六
同四十年	一〇	一	—	—	—	一一

同四十一年	—	二	二	—	—	四
同四十二年	—	—	一	—	一	二
同四十三年	二	—	二	—	—	四
同四十四年	一	一	—	—	—	二
大正元年	九	三	九	六	—	二七
同二年	一九	—	一九	二一八	二	五八
同三年	一〇	四	五	一四五	一	一六五
同四年	六六九	—	五六	三四〇		一、〇六五
合計	四、二三八	六九三	六〇五	八七一	一七	六、四二四

資料來源：東鄉實和佐藤四郎，臺灣殖民發達史，頁一五八～一五九。

當然，臺灣同胞抗日被判刑的人數，不僅是此表所列的數字。辛亥革命之後，臺灣同胞受祖國之影響，在臺抗日事件更是如火如荼之展開。如劉乾在林杞埔；黃朝在土庫；羅福星在苗栗；余清芳在西來庵等抗日事件，不但抗日最爲轟動，而且犧牲亦最大，同時被判刑之數字更多，這些抗日事件，充分證明他們不願受日本異族之統治，結合祖國革命，早日驅逐日寇，重回祖國懷抱。

【附　註】

註　一　江炳成：古往今來話臺灣，幼獅文化事業公司出版，民國七十三年十一月三版。頁二四四—二四五。

註　二　鍾孝上：臺灣先民奮鬥史（上下册），自立晚報出版，民國七十六年三月四版，頁三三九。

註　三　朱傳譽編：中國國民黨與臺灣，中國國民黨中央委員會黨史史料編纂委員會出版，民國五十三年十一月二十四日出版，頁七。

註　四　同前註，頁八。

註　五　同註二，頁二四五—二四六。

註　六　柯惠珠：日據初期臺灣地區武裝抗日運動之研究，前程出版社出版，民國七十六年四月初版，頁九七—九八。

註　七　臺灣史蹟研究會編：臺灣叢談，幼獅文化事業公司印行，民國六十七年十月再版，頁四四九。

註　八　同前註，頁四五〇。

註　九　同註二，頁二四九。

註一〇　東鄉實和佐藤四郎，臺灣殖民發達史，頁一五八—一五九。

第五章　辛亥革命對臺灣抗日運動的影響

西元一九一一年反清的義軍在武漢與起了革命大旗，發生了驚天動地的武昌首義，由於清吏不斷搜捕黨人，在人人自危的情況下，於是黨人熊秉坤等人決定先發制人，新軍各標立即響應。湖廣總督瑞澂及新軍統制張彪看情形不對，倉皇逃跑，武漢三鎭很快光復。國父孫中山先生自海外歸來，被選爲開國的首任臨時大總統，於民國元年（西元一九一二年）元月一日在南京就職。辛亥革命不但震動亞洲及世界，同時也震盪著臺灣海峽，臺灣抗日運動受辛亥革命之影響，自西元一九一二至一九一五年的三年間先後發生了九次抗日革命運動。這些志士們，有的是國民黨的黨員從大陸回到臺灣來，有的是臺灣志士自動起來響應祖國革命的潮流。毫無疑問的，他們英勇壯烈的抗日行動乃是辛亥革命的延續，臺灣的反日運動已與祖國的國民革命結合起來了。總之，臺灣與大陸同胞的命運是一致的，骨肉相連，手足是不可分的，辛亥的革命成功，當然直接影響著臺灣的抗日運動。下面深受辛亥革命成功影響的抗日事件及光榮的革命事蹟分別於各節敍述：

第一節　林杞埔事件

辛亥革命，民國建立，在　國父孫中山先生領導之下，推翻了二百多年滿清異族之統治。此時，臺灣同胞仍在日本異族統治著，過著牛馬不如的奴隸生活。辛亥革命成功對於臺灣地區抗日運動，當然有其激盪的影響。是年受此影響的抗日事件，主要有劉乾領導之林杞埔事件及黃朝領導之土庫事件，先就劉乾領導抗日事件之背景，經過及結局分別敍述於後：

一、抗日背景

劉乾是南投廳沙連堡羌仔寮莊（在日月潭南方）人，家裡很窮，以算命爲業。他是個虔誠的佛教徒，從小就吃素，爲人心地善良，很受鄉里的敬重。臺灣割讓日本後，他曾在林杞埔的日本憲兵隊當過工友，對於日本人的欺壓臺灣同胞非常憤恨。民前一年（西元一九一一年）夏季，他在家裡無緣無故被日本警察侮辱了一頓，日警罵他爲人算命賣卜是謠言惑衆，而把算命的書籍用具全部沒收，並且強迫他改業。（註一）

此事對劉乾而言，實爲生死交關的大事，此後，劉乾試著在各處走動，但由於巡查已將他揪出，各管區的巡查，對他都嚴密的加以監視，使劉乾自此無法再靠賣卜維生，於是暗中在鞍山中水掘（在大鞍莊附近），與當地人商議，闢地搭一間草寮，供奉觀音菩薩，日夜參拜，甚得當地信徒的擁護。自此，劉乾不斷藉機向鄉民信徒們散佈反抗總督府的言論，有時則下山在信徒家中舉行秘密拜神禮佛的儀式，同時，對參加儀式的附近居民傳播反日的言論。（註二）

劉乾到了大鞍山中水掘，林杞埔支廳方面管區的巡查對於如此一個占卜師突告失踪的事，竟然沒有注意，也沒有加以調查，其後不久，有一個農民林啓禎曾因反抗三菱獨佔竹林生產，隨意採伐竹林，被巡查發現橫加毆打，林啓禎慘遭毆打後，憤恨難以自抑，於是就前來投靠劉乾。

林啓禎是南投廳大坑庄人，通稱爲林慶興，以農爲業，依其所有竹林，兼營製造紙業爲生。有關地方之竹林，自清以來，並無所謂地主，庄民只繳少許稅金，皆得自由採伐，賣以補助日常生活費用。（註三）日本據臺後，臺灣總督府遂於一九一〇年至一九一四年，以五年的時間，進行林野調查，區分官有地與民有地，以確定林野地的私有權。凡無憑證可「確認所有權」的林野，都是爲官有地。如此調查的結果，大多爲官有地，臺灣林野地悉爲日本統治當局強佔，民有則僅佔百分之三。（註四）

日本統治者爲進一步強奪林野起見，又從一九一二年起推行所謂「官有林整理事業」，廢除原允許居民使用。所謂「官有林整理事業」，係將林野分爲官有與民有，以確立林野的所有權，再將官有林中的「保管林」作進一步的處理。透過這種運用方式與手段，將臺灣廣大林野的大部分均被日方奪取。日方所以確立林野地之所有權，形式上雖然是從法律方面確定臺灣人的所有權，使土地制度合法化，實際上，日本當局卻欲藉法律保護日本人殖民臺灣之利益。日本當局透過前述之方式和手段，所獲取之林野，大多免費或以低廉價格下放日本之地主或資本家，使日本資本家得以在臺灣推展所謂資本主義化。（註五）例如放領日本大財閥—三菱珠式會社，僅留一小部分，放領於庄中之所謂紳士保管，設置竹林組合禁止庄民自由採伐。

竹林問題，影響有關庄民之生活問題甚巨，故一聞放領消息，莫不驚慌失措，一同向林野調查會，提出抗議，並向總督府陳情，要求收回成命，改放領予有關庄民，然而林野調查會置之不理，而總督既定要依照所發命令執行，且命令日警嚴加監視，大放厥詞謂：「日本是法治國，令出必行，庄民未取得業主權，將何所據而爭議？」庄民之憤慨，已至沸騰點，忍無可忍，勢在非暴發抗日之行爲不可。（註六）

但是林啓禎是個硬漢，日本人愈是不叫他砍竹子，他愈是去砍。有一天他在砍竹子的時候，被日本三菱株式會社的駐衛警看見了，就把林啓禎痛打了一頓，這一打可不得了，庄民都出來爲林啓禎打抱不平，接著林啓禎就把這件事告訴了劉乾。劉乾一看反日抗暴的時機已經成熟，於是就召集他的信徒說：「日本人強佔我土地，奴役我人民，我們要把日本人都趕出去。我前天在國姓爺廟前，夢見三聖對我指示，命令我爲明朝崇禎帝義子，驅逐日人拯救同胞。現在你們要聽我的命令，共擧大事，事成之後，陞官發財隨你們選，如果有不聽我命令的，立刻處死！」（註七）以恩威並施之策，管制庄民。

日本統治當局對於臺灣廣大林野之處理，係基於提供日本資本家侵佔臺灣的機會，以使臺灣變成日本帝國主義搾取的對象，不顧臺灣駐民的生活，在此種背景下，自然會引起臺灣人民對日人的不滿與憤恨，引起臺灣人民抗日活動，這完全是由於日人歧視和壓制人民的結果，不顧及他們之尊嚴和利益而造成的。

二、抗日的經過

民國元年（西元一九一二年）三月二十二日，劉乾和林啓禎二人設神壇於信徒林逢之家，祭告天地，決定二十三日起事，以劉乾爲總指揮。這時候，從附近各村落聚集來的義民，有好幾十人。二十三日拂曉，一行由劉乾率領，向距林杞埔約十里的頂林派出所進攻，頂林爲偏僻山村，東北兩面負山，面臨高數十丈之斷崖，唯南一路可通林杞埔。派出所駐有：飯田助一、川島與川，兩日人，巡查補，共三名而已。早晨尚未起床之際，劉賜、蕭和二人奉劉乾之命，率林助、林木、蕭溪、楊振添等，各持刀衝入派出所宿舍，各於睡夢中斬殺之。完成使命之劉、蕭等一行，同至林逢之家，向劉乾報告經過，劉乾告以已另派一隊攻往林杞埔，你等可火速乘勝赴援。一行奉命，直奔林杞埔，途中忽遇林玉明者，問知底細，警告曰：「你等不知死活，若到林杞埔，必無一人可得生還。」頭腦單純之農民，一聞是言，皆大驚失色，各自潰亂走入山中。劉乾在林逢之家，接到形勢不利消息，知事已失敗，亦即退入山中。（註八）

林杞埔支廳獲悉事件的發生，乃是根據頂林三菱竹林事務所的通報，接獲報告後，佐竹支廳長即刻召集警察隊與保甲壯丁團員，開始向山地進行大搜捕，一星期之後，擊斃一名，其後又陸續將劉乾、林啓禎等一干人衆全數逮到。（註九）

搜捕告一段落後，即於四月七日，在南投開設臨時法院，任命覆審法院部長高田富藏爲裁判長；臺中地方法院村止武八郎，及覆審法院判官富島元治，爲陪席判官；臺中地方法院檢察官長士屋達太郎，及覆審法院檢察官號川彌三郎，二人爲檢察官。公判庭只於四月十、十一，開過兩日，對於劉乾以下被告十三名，草率宣判：死刑八名，無期懲役一名，有期懲役三名，無罪一名。受判死刑者八名，於即日下午一時，被執決於南投支監內；被判徒刑者，受押送臺中監獄；無罪者一名，即時當堂開釋。被執決死刑者，皆視死如歸，別無驚恐之狀；如劉乾者更索飲食，從容就義。（註一〇）

三、林杞埔事件在臺抗日之影響

劉乾領導抗日之動機，主要係基於個人對日本當局統治之不滿。劉乾本人先是遭到日警侮辱，迫其改業，繼對日警之欺壓鄉民，懷抱感同身受不平之心，故於宣傳佛法的同時，引發出憤慨反日言論。迨竹林問題之發生，林啓禎對日本當局不平等之待遇，影響臺胞之生計，同時爲了生活，爲了自尊，在不願受到日本之壓迫，二人對日非常憤恨，因此，而激起仇日心理，最後導致抗日行動。劉乾對林啓禎云：「日本強佔我土地，奴役我人民，種種壓迫，無所不用其極。我等要排此威脅，除殺日本，驅逐其出境外，別無良策。」（註一一）於是召集庄民，展開抗日活動。此事件之發生，完全由於日本當局對竹林處理失當及平時壓迫臺胞過甚而暴發出來的抗日行動。

劉乾領導之林杞埔抗日事件，就人員來講，事先僅得到林啓禎之附和及鄰近村落之劉賜、蕭和、林助等十數人協力，更談不上訓練及紀律之講求，倉卒起事，當然成功勝算不大。再者起事之地點擇頂林偏僻之山村，東北西面負山，面臨高數十丈之斷崖，唯南一路可通林杞埔，就抗日軍立場而言，選擇偏僻之山地，固然進可以攻，退可以守，但僻處一隅，很難獲得支援，較易斷缺補給，劉乾領導之林杞埔抗日事件其失敗原因，不能不說與此無關。

就此次起義事件，與往不同的，實眞具特殊之意義，蓋自西曆一八九五年，日本以武力據臺後，雖然光復曾發生多次抗日事件，但均在清廷未傾覆之時。唯在本事件發生之當時，在臺灣人的祖國，中國大陸上正發生着重大的變革，因而使劉乾與林啓禎的事蹟在臺灣史上也成了是相輝映的一項革命舉動。（註一二）

由此看來，林杞埔事件雖然事敗，不管是否曾受　國父孫中山先生辛亥革命成功之影響與否史家說法不一。但在臺灣抗日史上，也自有其相當的影響地位。其後在臺灣總督府方面也承認：「林杞埔事件可視爲其後相繼而起的苗栗事件，六甲事件等之前兆。」（註一三）

當然，由於中國革命成功的餘波影響，在臺灣的同胞因爲不願受到日本之壓迫，乃有接踵而至的各種抗日事件之發生。

【附註】

註　一　馮作民：臺灣史百講，青文出版社出版，國防部總政治作戰部印行，民國六十五年五月出版，頁一五五。

註　二　喜安幸夫，日本統治臺灣秘史，武陵出版社印行，民國七十三年一月，頁五四。

註　三　井出季和太：日據下之臺政（共三册），臺灣省文獻委員會發行，民國六十六年四月十日出版，第二册，頁四五〇。

註　四　李永熾：「日本統治下臺灣的土地問題」，載：「歷史的跫音」一書，遠景出版事業公司，臺北，民國七十三年十二月出版，頁九六。

註　五　柯惠珠：日據初期臺灣地區武裝抗日運動之研究，高雄，前程出版社出版，民國七十六年四月初版，頁二三六—二三七。

註　六　李汝和等編：臺灣省通志，卷九革命志抗日篇（全一册）臺中，臺灣省文獻委員會出版，民國六十年六月三十日，頁三八。

註　七　同註一，頁三八。

註　八　同註六。

註　九　同註二，頁五八。

註一〇　同註六，頁三九。

註一一　同前註，頁三八。

註一二　同註二，頁六一。

註一三　同前註，頁六二。

第二節　土庫有件

黃朝出生於嘉義廳大埤頭庄，雖然由於家貧，未嘗受過良好教育，但自幼即具有國家民族思想，素頗關心國事，與老人黃老鉗結忘年之交，時常談論祖國革命事情，二人互稱爲同志。黃朝對黃老鉗說：「祖國革命成功，推翻滿清二百多年帝業，定中華民國基礎，我亦人也，豈不能驅逐日人，而爲臺灣國王乎？數日前，林杞埔劉乾，只有同志十餘人，猶能擊殺警察，而使頂林派出所全滅，我若廣集多數同志，何愁革命功業之不成？」黃老鉗大爲贊成說：「互相討論以何種方法，方能獲得多數同志。」（註一）二人受祖國革命成功之影響，利用神佛迷信之力量，藉以收攬人心，廣集群衆抗日，來報復日本對臺灣人民之壓迫。當籌謀革命工作時曾有人秘密告發，乃未能起事。如此遭到不幸，實在可惜。

一、抗日之背景

土庫事件發生於林杞埔事件二個月後，其事雖相似極微，唯其動機之所發生，實受中國革命成功之影響。（註二）就臺灣本地民族精神之激盪而言，實具有特別之意義。

我國革命，得 國父孫中山先生偉大號召力，於民國前一年，推倒滿清政府，翌年元旦，成立中華民國政府於南京，改紀元爲民國元年。此消息傳到在異族統治下之臺灣人莫不刮目相看，興奮異常，在知識階級方面，雖衷心慶幸，但尙持重俟變，未敢輕擧，而在智識稍差，缺乏思慮者，即欲效尤祖國，致惹無謂犧牲。（註三）如黃朝與黃老鉗是也。

如是，黃朝與黃老鉗旣感受辛亥革命成功的激盪，對於日本異族統治的專橫，自是亟思解脫，遂時常與黃老鉗密議，究竟應以何種方法，從事革命抗日活動。按辛亥革命雖爲一波瀾壯闊之革命運動，其影響層面而擴及臺灣，並使其效法武裝起義故智，卻有別於前此之起事，而明白揭櫫辛亥革命之旗幟者，實以黃朝此次起事爲首。但辛亥革命之所以成功，實有其諸多因素，就領導階層之智識程度而言，多爲學有專長，見識高遠，黃朝旣「未受教育」，缺少思慮，徒有愛國之心，對於辛亥革命時期，參與革命活動之方式，以及如何運用宣傳、起義等，都未計及，終於選擇利用迷信號召民衆之方法。（註四）從事抗日活動。

二、抗日活動之方法

黃朝與黃老鉗他們雖然沒有甚麼智識，逼於時勢，憑著他那一股吃苦蠻幹的精神，爲了生計，在不願感受日本統治當局之經濟壓迫。二者志同道合，黃朝自幼即具有國家民族的思想，又素頗關心國事，時常與黃老鉗談論祖國革命事情，現祖國革命成功，建立民國，對他們抗日精神之鼓舞可想而知了。在當時民智未開之際，廣結群衆，藉神佛之迷信力量作號召，尙有可取。同時當地居民對於神佛之迷信甚深，從前有柯象其人，曾參加抗日，棲隱深山有年。幾年前歸來，謂其信奉玄天上帝，能知過去未來事，他將死，當爲神。及其死，衆奉之於玄天上帝廟內，香火不絕。柯象之後，又有張老鐵者，亦假藉神佛啓示，鄰近居民，多受其愚。黃朝思效柯、張兩人故智；利用迷信力量，藉以收攬人心。適於民國元年（即日明治十五年）五月十四日，其母死，即與妻別居，借黃老鉗一室，靜坐、斷食、禮佛。至五月二十二日，開門向衆宣告：自己誠意，已感動天，玄天上帝勅令他，一百日後，當爲臺灣國王。信徒爭向祭壇上香，焚燒金銀紙。愈聚愈多，其勢不可侮。經約一月至六月下旬，得新加信徒十五名；其他多數尙在疑信參半，未即加入。黃朝更宣告神意：謂如不信神，大陸陷落水火繼至，侮之莫及；而且近日中，中國可能派兵一百萬人來援，臺灣革命一定可以成功。（註五）

黃朝之假藉神意，等謀革命事情，宣傳到各方面，有甲長張龍，深恐他日遺禍鄉里，故與保正張加高密商議，若報告派出所，又恐有後禍；遲疑未決，六月二十六日，各處保正，甲長爲開保甲會議，集於大埤頭派出所，張龍猶不敢發表，事聞於區長張兵，乃忠告張龍，謂若不開發，禍必及身，張龍懼，招同第二保正張萬來之子，張谷水密告於派出所，問題遂表面化。（註六）

受持巡查圓崎郡治，即命臺灣人巡查補陳讀，往黃老鉗家，命令解散信徒，不許集會。當時黃朝迴避不出，俟陳讀巡查補去後，乃再集合，討論起義事宜。翌二十七日，圓崎巡查，與陳巡查補同行，復至黃老鉗家，命黃朝與集會中數人，同行往派出所，黃朝自覺事情嚴重，與其徒死，不如拚命；於無提防中，由圓崎巡查宿舍，取出菜刀，猛砍之。圓崎只受輕傷，黃朝脫走不成，司法警察開始行動，信徒等全被逮捕。押送於臺南地方法院，三岡判官擔任辦理。先由筒井檢查官審問後，對全數一十六名，提起公訴，同年八月十日，開第一回公判庭；延至九月二日，始到實地檢證。翌三日，宣告判刑，仍然適用臺灣特殊之匪徒刑罰令，黃朝被判死刑。其他無期懲役二名，有期懲役十二名，行政處分一名。除在檢察庭受不起訴處分之八名外，全部有罪。（註七）

黃朝起事失敗原因，當然是由於張龍之密告。其事件涉及當時日本統治當局之處置態度，值得探究。緣自日本據臺後，爲壓制臺灣地區風起雲湧的抗日事件，採取諸多措施，其中之一即爲保甲制。保甲由民戶互相聯絡，連帶負責，以防盜賊，檢舉犯罪等（註八）美其名曰守望相助，實則是臺灣人互相監視之制度。

日人據臺後之保甲制度，起源於臺中地方，光緒二十年（西元一八九五年）十一月間，各地雖配置警察人員，而當時地方少數之警察，不能爲力，彰化、鹿港地方，依從舊慣，由總理董事設法，招募壯丁，夜間執槍隨警察巡邏補助市街地區之警戒。（註九）次後在南投、雲嘉地區也相繼設立。同年十月下旬，臺中縣所定自衞團組織標準中，一節云：「各庄或各部落，有受匪徒侵害之虞者，務設自衞組合（合作團體）該組合務依從來習慣辦理，自衞組合係以防衞組合全體之身體財產爲目的，故該組合內，不論老幼男女，槪應連帶負責」。（註一〇）

光緒二十四年（西曆一八九八年）八月三十一日，日總督以律令第二十一號，公布保甲條件，同日以府令第八十七號訂該條例施行細則。依細則之規定，聯十戶爲一甲，以十甲爲一保，保置保正，甲置甲長，保長由全保各戶選擇，甲長由甲內各戶選擇，經地方長官承認，以保持各該區域內之安寧。保甲制度之保長，在乎保甲人民負連坐責任，對於連坐者，得處以罰金或罰鍰。（註一一）光緒二十九年（西元一八九九年）七月底，全臺所有保甲數爲四〇八五保，四一六六〇甲，壯丁一八一五團，幹部人員一五〇三人，壯丁一三四、六一三人。（註一二）日本在臺設立保甲，表面上足爲警戒防禦（盜）、水、火災等，實際上偏重於統治臺人之自由，防範反日運動之發生。此次黃朝起義事件，保長張谷水和甲長張龍等，深怕受到連累，主動檢擧，黃朝起義之失敗，就可知一切了。

三、土庫事件之特殊意義

綜觀此次土庫事件，黃朝家貧未受教育，但能關心國事，與老人黃老鉗結忘年之交，時常談論祖國革命事情，稱爲同志。依筆者的分析，臺灣自從割讓日本以後，臺胞在日本異族統治下，得到很多不平等的待遇，受到很多壓迫，在心理上是不平衡的，痛恨日本人在所難免。恰在此時，他聽到祖國辛亥革命成功的消息，感到非常振奮。他對好友黃老鉗說，祖國同胞可以推翻滿清二百多年的帝業，創建了中華民國，我們同樣也是人啊！爲何不能驅逐日本人，自立爲臺灣國王。（註一二）他雖然沒有讀過多少書，却痛恨日本人，其他所有臺灣人，也都是一樣的，再加上受祖國革命之影響，結納同志，進行抗日活動，這是出於內心的一種愛國行爲，也是對日不滿的一種擧動，不但黃朝如此，我臺胞很多都有此種想法，可是多數較爲消極，沒有行動。唯黃朝比較積極，敢於冒險。

然而，黃朝畢竟是個沒有知識的人。他雖受了辛亥革命的影響而立意革命，並幻想中國必能派兵相助，但他卻不懂革命的組織與方法，只是看到了當地居民對於神佛的迷信心甚深師洪秀全之故智欲成其事。這種假藉神意，籌諸革命的方式當然是幼稚可笑，是不可能成功的。（註一四）但他沒有讀過書，而有此假藉神佛抱有反日革命的理想，也具有視死如歸的精神。在臺灣抗日史上，確也有特殊之意義。

【附 註】

註 一 井出季太和：日據下之臺政（第二册），臺灣文獻委員會發行，民國六十六年四月十日修正出版，頁四五三。
註 二 同前註，頁四五二。
註 三 同前註，頁四五二—四五三。
註 四 柯惠珠：日據初期臺灣地區武裝抗日運動之研究，前程出版社出版，民國七十六年四月初版，頁二四三。
註 五 臺灣省通志（卷九革命志抗日篇全一册），臺灣省文獻委員會出版，民國六十年六月三十日，頁三九。
註 六 同註一，頁四五四。
註 七 同註五，頁三九—四〇。

註　八　同註一（第一册），頁三三六。

註　九　同前註，頁三三七。

註一〇　同前註。

註一一　同前註，頁三三八。

註一二　同前註。

註一三　李雲漢：國民革命與臺灣光復的歷史淵源，幼獅文化事業公司出版，民國六十九年七月三版，頁三〇。

註一四　同前註，頁三一—三二。

第三節　苗栗事件

羅福星早年曾隨從他祖父羅耀南先生在臺灣居留三年，親眼看到臺灣同胞被異族（日本人）統治，視為「下等殖民」，任其淩辱剝削。且在倭寇高壓統治下，使臺灣同胞喪失了自己的人格和自尊心。無論是政治、經濟、教育都受到極不平等的待遇。日本人為鞏固在臺灣的統治，特別制定了「六三法」和「匪徒刑罰令」，利用此法令，可以肆意殺戳臺灣同胞，

圖八　羅福星烈士遺像

限制一切自由平等的權利。（註一）由於日本帝國主義在臺種種暴虐無道之行爲，而引起反抗日本的心理，辛亥武昌革命成功，中華民國建立。羅氏毅然決然冒著生命危險來到臺灣策劃抗日革命運動，這完全是基於民族之意識和情感，祖國革命成功，不願看到我臺胞再繼續受日本壓迫，決定潛赴臺灣，發展革命抗日組織，達成光復臺灣之使命，使臺灣重回祖懷抱。

一、抗日革命的背景

羅福星祖籍是廣東省，鎮平縣，光緒二十九年（西元一九〇三年）跟隨他的祖父羅耀南先生來到臺灣居住三年，因爲受不了日本帝國主義對臺灣的鐵腕統治，嚴厲推行殖民政策，暴虐日甚，民不堪其苦。羅福星的祖父感覺住臺灣終難寄留，於光緒三十二年（西元一九〇七年）決定偕同羅福星歸國。（註二）經過漳州看到當地國民革命風氣甚盛，彌漫了海內外，同盟會的同志非常活躍。他在漳州逗留期間，回想我臺胞在日本帝國主義壓迫下，受到不平等的待遇。在政治上；日本所表的是專利和歧視。在經濟上；日本所表現的壟斷和搾取。在教育上；日本所表現的差別和奴化，他親眼看到這些事實，決心參加國民革命，先推翻滿清腐敗的政府，使中國強大起來，再驅逐日寇，光復臺灣，拯救臺胞。於是經人介紹就在漳州加入同盟會。（註三）從此就追隨　國父孫中山先生展開革命工作。初派往南洋各地活動，宣揚革命主義，歷任新加坡、巴維亞（即今日印尼首都雅加達）華僑中華學校校長，還曾擔任同盟會在緬甸經營的書報社主任，因此與南洋一帶的華僑領袖和革命同志，建立了深厚關係。（註四）後來參加廣州辛亥三二九之役，英勇奮戰，身受重傷，幸脫險又回到南洋，繼續從事革命宣傳工作，並募款支援革命。民前一年（西元一九一一年）八月九日（即陽曆十月十日）這天發動武昌起義，一舉使光復了武漢三鎮，全國各地，紛起響應；羅氏亦響應在巴達維亞召募當地民兵約二千人，接獲電報，立即率領回國參戰，在廣州受領武器後，奉命搭艦參與上海、蘇州一帶的爭奪戰；不久清帝宣告遜位，中華民國遂告成立，到了十二月，大局底定，隨將民兵解散，羅氏也於民國元年（西元一九一二年）返回廣東原籍。（註五）

羅福星參加革命，冒險犯難爲革命付出很多代價，而並以此自居其功，他這種淡泊明志的情操，充分表現了革命黨人的高尚人格，可以說他是一個不計個人名利和權位的革命典範志士。

二、來臺策劃領導抗日革命運動

辛亥武昌首義，革命成功，民國建立，爲祖國帶來光明遠景，也爲臺灣同胞帶來了希望，祖國的同胞在滿清專制統治下得到解脫，臺胞也應從殘酷的日本帝國主義統治下獲得拯救。羅福星在民族思想情感啓示下，他看到祖國同胞已從滿清專制下解脫，享有自由，民主和幸福的生活，臺灣同胞仍在日本暴虐統治下淪爲異族奴役，過著殖民地牛馬不如的人民生活。他認爲同是炎黃子孫，同是大漢民族的手足，不應該一部分人享有自由，一部分人仍被奴役。因此他決定把革命的目標指向臺灣，要在國民革命的同一旗幟下，驅逐日本帝國主義，使臺灣同胞早日回到祖國懷抱。羅福星爲實現光復臺灣，拯救臺胞的理想。因此他決定到臺灣來，領導臺胞從事抗日革命運動。（註六）

據羅福星自述，他是於民國元年七月接到同志劉士明的信，提議共同到臺灣密謀起事。同年十月，他接受了福建都督的密令，與十二位革命同志由大陸渡臺，於十月十三日到達了臺北大稻埕，經過了一次會商後，十二志士遂開始分別從南北各路募集會員，準備大舉。羅福星本人回到了苗栗，建立了發展組織活動中心，他採取的組織路線是：以苗栗為指揮中心，從臺北、臺中、臺南分頭進行；以中華會館為主體，三點會，革命會為外圍；以宣傳祖國革命成功為號召，推翻日本人統治光復臺灣為終極目標，由於宗旨的正確與運用的得法，革命組織的發展極為快速。據羅氏自述，不到一年，召募的同志即將近十萬人。（註七）

由於羅氏先前參加同盟會，曾任南洋多年宣傳革命，並且親自參加過黃花岡三二九之役及募集志士響應武昌起義。因此，他富有革命經驗。同時他又曾在臺灣居住過三年，對臺灣地理環境也較熟悉。所以來臺策動抗日革命運動，他是最適當的人選。他來臺後領導抗日革命運動所使用的方法與　國父孫中山先生領導革命之模式相同。倡導民族主義，喚起臺胞之民族意識。在革命的目的上，他明白提出：「驅逐日人，恢復臺灣」。在他的革命宣言裡曾提到：「我大中華民國面積，占五大洲、六大洋，三分之一，為世界冠；人口最多。我臺民來自中華，臺民於十數年前，有志維新，痛心亡國奇恥，且鄰國（日本）苛政，實諸君所深痛也！俄國（Russia）滅亡猶太（Jew）僅經二十年，種族且滅，文字亦廢。然而猶太人口四百餘萬，面積東西六十二英里（Mile）南北一百二十六英里。人口多於我臺將二倍；且猶太為世界最先開化之國，而今俄國視之犬馬不如也。諸君不見日本滅琉球乎？僅五十年種族且滅，文字亦廢。今也亡國之民。失家失業，多流爲乞丐。猶太人、琉球人遭此悲慘境遇，亦爲我臺灣人士所深知也。日本滅我臺灣茲十有九年，而人民受害已非淺鮮？譬如：今日剝我皮膚；四五年後，削我骨肉；八九年後，必吸我骨髓矣！哀哉我臺民！概自日本亡我臺灣，奪我財產，絕我生命，日本苛政，無所不用其極，豈有諸君甘心長受！」（註八）

羅氏之宣言，後來已漸漸深入人心，使我臺胞均能領悟，所以均能群起參加抗日，就像羅氏所言：「殺頭相似吹風帽，敢在世中逞英豪」，又說；「人生不二死，該死不死，汚名留千載；死得其時，留芳名於百世，此眞男兒也」等豪語。（註九）

前面曾談到，羅氏到臺尙不及一年，組織已由臺北發展到臺南。臺北盟主劉士明，臺中爲劉金甲，臺南爲邱維潘，桃園、苗栗一帶則由他負責。由於組織迅速發展，吸收的同志也愈來愈多，雖然各書記載不同，說法不一。但在他的自述中則謂：「已募集之會員達九萬五千六百三十一名之多。」（註一〇）從此數目看來，聲勢相當浩大，在此龐大的組織裡，參加抗日份子又這麼衆多，當然就顯得複雜。先是陳阿榮等烈士在革命未成熟前，先行起義，暴露出革命的行動。另外就是日人在大湖支廳警所的槍枝遺失，（註一一）引起日人的注意。恰在此時吳覺民部，吳頌賢、葉永傳於民國二年九月九日晚假大湖天后宮舉行會議，與會人員有四，五十人不愼被日人偵知，當場被日警捕去有吳頌賢、葉永傳等八人，（註一二）其他與會的同志逃避。被捕的志士經不住日警的嚴刑拷打，而珠連了羅氏所領導的組織，於是羅氏之重要幹部大都被日警抓去。有些同志看大勢已去，說服羅氏早日脫離險境，離開臺灣，此時自己逃亡在淡水芝蘭之堡農民李稻穗家裡，俟機偷渡回國，暫避其鋒；不料日警早已佈下眼線，行踪終被興化店派出所探悉，於民國二年十二月十八日深夜，由淡水支廳長親自率領大批日警把李稻穗家重重包圍，羅福星當場被捕。（註一三）日人從他身上搜出一本革命黨員名册，一本有關革命行動雜記。因此，按照黨員名册地址大肆搜捕，被抓的同志甚多。日人在苗栗設置臨時法庭，有關羅氏領導被抓去的同志，先後分兩次審判，羅氏第一次尚未被捕是缺席判決死刑。第二次被捕後於民國三年二月二十八日被日法庭仍判處死刑，遂由日警從苗栗解到臺北監獄，於民國三年三月三日執行死刑。羅福星烈士慷慨激昂，從容就義。

羅福星烈士在臨刑前並寫一首詩「祝我民國詞」特別把「中華民國孫逸仙救」八個字成詩的句首，其內容：

「中」土如斯更富強，
「華」封共祝著邊疆。
「民」情四海皆兄弟，
「國」本苞桑氣運昌。

「孫」眞國手著先唐，
「逸」樂豐神久旣章。
「仙」客早貽靈妙藥，
「救」人千病一身當。

最後並留下絕筆書：「不死於家，永爲子孫紀念，而死於臺灣，永爲臺民紀念耳！」他這種頂天立地浩然之氣，實不愧爲黨員的典型，更是以驚天動地而泣鬼神，足使敵人胆怯心驚。

三、死後獲得哀榮

「哲人日已遠，典型在夙昔」。文天祥這兩句詩，可以說，正是對羅福星烈士的寫照。從他生前的詩文以及遺言可以看出他的偉大，充分表現出他有血有淚的情感及愛國思想。臨就義時，他曾對獄吏說：「事已至此，尚不服罪，非男子本色。古語云：『人一世，花一春』大丈夫不爲名，徒憧憬於濁世，何益之有？我生於憂患，死於安樂，以笑迎死者也。若我不被處死，有何面目對九泉下之死難同志？又何面目見受刑者？我不過行自由平等之權利，不論受何重刑，亦不認爲自己爲罪惡。」（註一四）從他這段話，可以看出他的英雄本色。他

圖九　羅福星烈士紀念塔

雖然爲革命犧牲，而他的革命精神卻給後世留下深刻的印象，尤其他爲臺胞永遠對他懷念。

臺灣光復後，羅福星等烈士之忠骸，原被日人遺棄於臺北市安東街四一二巷內草坪中（日據時期稱叛民墓）。過去乏人問津；後來由於苗栗縣縣議員徐金福、劉傳村暨地方熱心公益人士饒見祥、詹明能等倡導建立昭忠塔於大湖羅公岡山麓，謹奉羅公福星等暨歷次革命烈士之忠骸，安葬於塔內（註一五）。

民國四十二年四月三十日昭忠塔落成典禮時，總統　蔣公　派何應欽將軍主持外並以臺忠字第一號明令褒揚，其內容：「羅福星少懷壯志獻身革命黃花岡之役效命前驅武昌起義聞風響應，民國元年奉命來臺號召群英密圖大舉殫精竭慮蹈險履危，不幸事敗竟以身殉從容就義凜然其忠貞，爲國失志恢復之精神，殊堪矜式，應予明令褒揚。此令」。同時全國各界贈送詩詞，

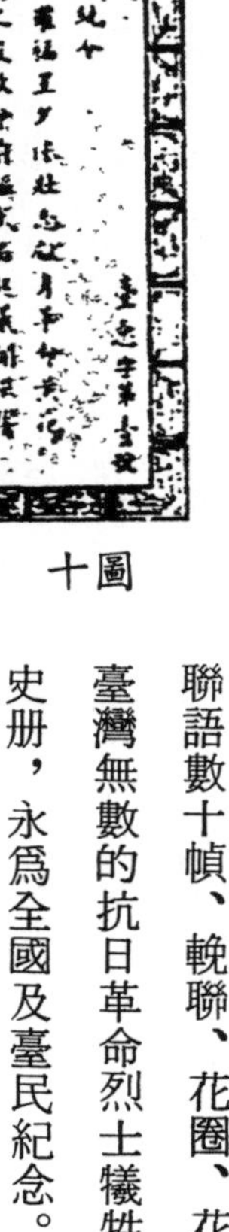
總統令
總統 蔣中正
陳誠
中華民國 年 一 月 日

圖十 羅福星獲總統 蔣公褒揚令

聯語數十幀、輓聯、花圈、花藍不計其數，他代表著臺灣無數的抗日革命烈士犧牲奮鬥之事蹟，從此名垂史册，永爲全國及臺民紀念。

苗栗事件參加抗日志士簡歷及死難經過：

姓名	籍貫	性別及年齡	出生及經歷	革命事蹟	死難經過
江亮能	閩、永定	男、被捕時年30.歲	出身漢學書房。拳師、賣藥	革命黨員，擔任苗栗方面運動員。	被處絞刑於臺北監獄。

			兼醫生。		
黃光樞	廣東	男、被捕時年32歲	拳師、賣藥行商。	革命黨員，擔任桃園方面運動員。	被處絞刑於臺北監獄。
傅清鳳	臺、苗栗	男、被捕時年32歲	日本公學校畢業。	革命黨員，擔任苗栗方面運動員。	被處絞刑於臺北監獄。
謝德香	臺、苗栗	男、被捕時年31歲	日本公學校畢業，業農。	革命黨員，擔任苗栗方面運動員。	被處絞刑於臺北監獄。
黃員敬	臺、苗栗	男、被捕時年48歲	出身漢學書房。	革命黨員，擔任苗栗方面運動員。	被處絞刑於臺北監獄。
謝阿鼎	臺、新竹	男、被捕時年32歲	出身漢學書房、醫生兼農。	革命黨員，擔任調查員。	被禁臺中監獄處絞刑。
陳讚和	臺、苗栗	男	木材工。	革命黨員，擔任調查員。	被禁臺中監獄，出獄後死亡。
柯克實	臺、苗栗	男	木材工。	革命黨員，擔任調查員。	被禁臺中監獄，已故。

謝慶華	臺、苗栗	男、被捕時年45歲	出身漢學書房，國語傳習所畢業，任巡查補三年。	革命黨員，參加革命運動。	受刑三年，死於臺北監獄中。
黃登富	臺、苗栗	男、被捕時年41歲	出身漢學書房，任苗栗警務課密探。	革命黨員，任反間工作。	判刑十五年，入獄一年八個月，死於臺北監獄。
羅權賢	臺、苗栗	男、被捕時年30歲	日本公學畢業，業商。	革命黨員，參加工作。	在臺北監獄受刑十二年，現已病逝。
湯鴻恩	臺、苗栗	男、被捕時年32歲	農事試驗場出身，業農。	革命黨員，參加工作。	在臺北監獄受刑五年，回家病逝。
葉樹炳	臺、苗栗	男、被捕時年	出身漢學書房	革命黨員，參加工作。	在臺北監獄受

		41歲	，業木匠。		刑九年，出獄後病故。
陳鼎財	臺、苗栗	男、被捕時年59歲	出身漢學書房，業農。	革命黨員，參加工作。	在臺北監獄受刑十二年，出獄後病故。
黃阿榮	臺、苗栗	男、被捕時年71歲	出身漢學書房，業農。	革命黨員，參加工作。	在臺北監獄受刑九年，出獄後病故。
劉壽南	臺、苗栗	男、被捕時年44歲	出身漢學書房，業商。	革命黨員，參加工作。	判刑九年，受刑六年，死獄中。
謝定香	臺、苗栗	男、42歲	業農。	革命黨員，參加工作。	在臺北監獄七年，出獄後病故。
羅慶興	臺、苗栗	男	日本公學畢業	革命黨員，參加工作。	在臺北監獄七

姓名	籍貫	性別年齡	出身職業	身分	結果
			，業商。		年，出獄後病故。
詹徐傳	臺、苗栗	男、被捕時年34歲	出身漢學書房，業商。	革命黨員，參加工作。	在臺北監獄判刑，刑期未滿，釋回死亡。
葉水全	臺、苗栗	男、被捕時年31歲	日本公學畢業，業樟腦製造業。	革命黨員，參加工作。	在臺北監獄判刑十五年，受刑四年，因病釋放，途中死亡。
黃成郎	臺、苗栗	男、被捕時年36歲	裁縫業。	革命黨員，參加工作。	在臺北監獄受刑九年，歸家後病死。
謝集香	臺、苗栗	男、被捕時年29歲	出身漢學書房，業農。	革命黨員，參加工作。	在臺北監獄受刑九年出獄，

					現已病逝。
蔡國漢	臺、苗栗	男、22歲。	業農。	革命黨員，參加工作。	判刑五年，入獄一年病死於獄中。
賴九通	臺、苗栗	男、60歲。	業農。	革命黨員，參加工作。	受刑五年，出獄後病故。
黃生蘭	臺、苗栗	男、53歲。	業農。	革命黨員，參加工作。	受刑七年，出獄後病故。
賴九友	臺、苗栗	男、52歲。	業農。	革命黨員，參加工作。	受刑五年，出獄後病故。
葉仕能	臺、苗栗	男、63歲。	貸地業。	革命黨員，參加工作。	審問時，爲日警毒打斃命。
劉元古	臺、苗栗	男、63歲。	業農。	革命黨員，參加工作。	送火燒島勞役三年，歸家病故。

鍾傳富	臺、苗栗	男、56歲。	業商。	革命黨員，參加工作。	受刑五年，出獄後病故。
蔡文富	臺、苗栗	男、73歲。	業農。	革命黨員，參加工作。	受刑五年，出獄後病故。
謝阿細	臺、苗栗	男、30歲。	出身漢學書房，業商。	革命黨員，參加工作。	在臺北監獄七年，出獄後死亡。
羅阿章	臺、苗栗	男、37歲。	出身漢學書房，鐵路工人。	革命黨員，參加工作。	在臺北監獄七年，出獄後死亡。
謝阿業	臺、苗栗	男、58歲。	出身漢學書房，業農。	革命黨員，參加工作。	在臺北監獄五年，出獄後死亡。
羅阿道	臺、苗栗	男、53歲。	日本公學校出身，業飲食店。	革命黨員，參加工作。	在臺北監獄五年，出獄後死

					亡。
羅慶旺	臺、苗栗	男、39歲。	日本公學畢業，業商。	革命黨員，參加工作。	在臺北監獄七年，出獄後病死。
羅紹連	臺、苗栗	男、30歲。	日本公學畢業，業商。	革命黨員，參加工作。	在臺北監獄七年，出獄後病死。
羅紹衮	臺、苗栗	男、55歲。	日本公學畢業，業商。	革命黨員，參加工作。	在臺北監獄九年，出獄後病故。
邱錦城	臺、苗栗	男、40歲。	日農業試驗場出身。	革命黨員，參加工作。	在臺北監獄七年，出獄後病故。
吳揚德	臺、苗栗	男、56歲。	貸地主。	革命黨員，參加工作。	在臺中監獄五年，出獄病故。

王阿三	臺、苗栗	男、73歲。	業農。	革命黨員，參加工作。	受刑九年，出獄死亡。
陳石妹	臺、苗栗	男、42歲。	業農。	革命黨員，參加工作。	判刑五年，在臺中監獄四個月，死獄中。
謝阿福	臺、苗栗	男、60歲。	醫生。	革命黨員，參加工作。	在臺中監獄受刑五年，歸家死亡。
羅阿標	臺、苗栗	男、52歲。	出身漢學書房。	革命黨員，參加工作。	受刑五年，歸家死亡。
陳崇光	臺、苗栗	男、42歲。	業農。	革命黨員，參加工作。	判刑五年，入獄十個月，歸家病死。
吳阿娘	臺、苗栗	男、42歲。	業農。	革命黨員，參加工作。	判刑五年，受刑一年，病死

					獄中。
彭阿番	臺、苗栗	男、70歲。	出身漢學書房，業洋裁。	革命黨員，參加工作。	判刑五年，受刑一年，病死獄中。
李阿華	臺、苗栗	男、69歲。	業農。	革命黨員，參加工作。	受刑九年，出獄病故。
余台宗	臺、苗栗	男、64歲。	出身漢學書房，術士。	革命黨員，參加工作。	受刑五年，出獄病故。
彭華驥	臺、苗栗	男、45歲。	日本公學畢業，任巡查補。	革命黨員，參加工作。	受刑五年，出獄病故。
邱大石	臺、苗栗	男、45歲。	業農。	革命黨員，參加工作。	受刑五年，出獄病故。
周阿鼎	臺、苗栗	男、32歲。	業商。	革命黨員，參加工作。	判刑五年，受刑一年，死獄中。

謝阿慶	臺、苗栗	男、35歲。	業農。	革命黨員，參加工作。	受刑五年，出獄病故。
劉添壽	臺、苗栗	男、31歲。	業農。	革命黨員，參加工作。	受刑五年，歸家死亡。
周潮浪	臺、苗栗	男、47歲。	業農。	革命黨員，參加工作。	判刑五年，入獄二年，病死獄中。
周潮登	臺、苗栗	男、70歲。	亦農亦商。	革命黨員，參加工作。	受刑七年，歸家病死。
黃廷輝	臺、苗栗	男、46歲。	業農。	革命黨員，參加工作。	受刑五年，歸家病死。
傅進番	臺、苗栗	男、56歲。	業農。	革命黨員，參加工作。	受刑七年，歸家病故。
邱阿增	臺、苗栗	男、75歲。	業農。	革命黨員，參加工作。	受刑五年，出獄後病故。

姓名	籍貫	性別、年齡	職業	身分	結果
劉尚文	臺、苗栗	男、49歲。	農業。	革命黨員，參加工作。	受刑五年，出獄後病故。
彭阿貴	臺、苗栗	男、55歲。	農業。	革命黨員，參加工作。	受刑七年，出獄後病故。
林李校	臺、苗栗	男、59歲。	農業。	革命黨員，參加工作。	受刑五年，出獄後病故。
彭榮會	臺、苗栗	男、60歲。	農業。	革命黨員，參加工作。	受刑五年，出獄後病故。
邱坤榮	臺、苗栗	男、61歲。	農業。	革命黨員，參加工作。	受刑五年，出獄後病故。
林阿番	臺、苗栗	男、69歲。	農業。	革命黨員，參加工作。	受刑五年，出獄後死亡。
賴久讓	臺、苗栗	男、50歲。	農業。	革命黨員，參加工作。	判刑五年，受刑一年半，病死獄中。

賴永殿	臺、苗栗	男、29歲。	業農。	革命黨員，參加工作。	判刑五年，受刑一年半，病死獄中。
蔡阿香	臺、苗栗	男、38歲。	日本公學畢業。	革命黨員，參加工作。	在臺北監獄受刑五年，病故。
余阿逢	臺、苗栗	男、54歲。	業農。	革命黨員，參加工作。	在臺北監獄受刑五年病故。
王運三	臺、苗栗	男、57歲。	業農。	革命黨員，參加工作。	判刑九年，入獄三年執行停止，出獄死亡。
王雲貴	臺、苗栗	男、37歲。	業農。	革命黨員，參加工作。	受刑五年，出獄病故。
彭阿送	臺、苗栗	男、62歲。	業農。	革命黨員，參加工作。	受刑五年，出獄病故。
王阿來	臺、苗栗	男、28歲。	業農。	革命黨員，參加工作。	判刑五年，入

					獄二年半死亡。
王阿福	臺、苗栗	男、49歲。	業農。	革命黨員，參加工作。	受刑七年，出獄後死亡。
傅琳樹	臺、苗栗	男、63歲。	業農。	革命黨員，參加工作。	判刑十年，刑滿歸家病逝。
賴九貴	臺、苗栗	男、54歲。	業農。	革命黨員，參加工作。	在臺中監獄受刑五年，出獄後病故。
吳芳乾	臺、苗栗	男、59歲。	業農。	革命黨員，參加工作。	受刑五年出獄後病故。
徐關送	臺、苗栗	男、36歲。	業商。	革命黨員，參加工作。	在臺北監獄五年，出獄後病故。
黃阿鼎	臺、苗栗	男、64歲。	餐飲食業。	革命黨員，參加工作。	受刑五年，出獄後病故。
羅阿常	臺、苗栗	男、51歲。	日本公學畢業，藥商。	革命黨員，參加工作。	在臺北監獄五年，出獄後病

					故。
江阿炎	臺、苗栗	男、36歲。	業商。	革命黨員，參加工作。	在臺北監獄五年，出獄後病故。
彭華瑞	臺、苗栗	男、62歲。	出身漢學書房，業農。	革命黨員，參加工作。	在臺北監獄五年，出獄後病故。
謝阿昌	臺、苗栗	男、60歲。	業農。	革命黨員，參加工作。	在臺北監獄受刑五年病故。
謝六滿	臺、苗栗	男、27歲。		革命黨員，參加工作。	在臺北監獄受刑五年病故。
蔣天來	臺、苗栗	男、52歲。	日本公學畢業。	革命黨員，參加工作。	在臺北監獄受刑五年病故。

（註一五）

苗栗事件參加抗日被日判決志士：

△被告：羅福星，處死刑。

△被告：謝阿鼎、梁芳，各處徒刑十五年。

△被告：周齊仔、陳宇宙、鍾泉海、王阿三，各處徒刑九年。

△被告：翁阿源、楊宏、朱紅牛、吳阿食、李盛育、古申官、陳超賡、黃阿烈、林金魚、陳祿、吳通郎、郭園仔、楊木生、徐水杉、杜大排、葉加車、謝定香、黃生蘭、謝阿和、陳登城，各處徒刑七年。

△被告：徐達賓、洪育英、林茂、曹阿份、蕭文龍、胡初勝、蕭文敬、何紅春、江炳文、陳乞食、林九母、黃福、陳神化、陳明塭、楊匏梨、楊阿萬、楊塗風、許敬乞、李金塗、林傳、蔡毿毛、張九註、林春長、陳金麟、陳魁、楊寶全、張火炎、郭雙溪、翁才、陳耀火、蔡主、陳乞、劉有德、王卯未、高明、楊鄞鎭坤、林麒麟、莊風雨、李三許、翁志生、蘇樹、林炎江、賴九通、賴永殿、陳火施、賴九桂、劉阿基、賴九讓、賴九友、賴九鶴、賴九春、李鴻昌、賴雙皇、李仁昌、陳阿基、劉九梅、黃阿金、林阿斗、謝阿業、黃琳棠、黃其珠、黃阿鼎、徐元翔、張阿輝、黃悲、謝福、鍾傳富、鄭阿亮、謝石木、謝阿昌、劉木生、孫學毛、劉秀明，各處徒刑五年。

△被告：徐運桂，處徒刑四年六個月。

△被告：梁芳、吳阿食、黃阿烈、陳祿、楊木生、黃生蘭，得由親自收到本判決之送達，或知宣告判決之日起，三日以內，聲明不服上訴。

△被告：黃樹木，無罪。（註一六）

【附註】

註一　羅秋昭，抗日先烈—羅福星，近代中國双月刊，第十九期，民國六十九年十月二十日出版，頁二九四。

註二　臺灣省通志，卷九（革命志）抗日篇（全一册），臺灣省文獻會出版，民國六十年六月三十日，頁四〇。

註三　國立編譯館編，中國現代史，幼獅文化事業公司出版，民國七十年元月九版，頁二四。

註四　陳澤主編，臺灣先賢先烈專輯（第三册），臺灣省文獻會發行。民國六十七年六月出版，頁九一。

註五　同前註。

註六　蔣子駿：革命先烈—羅福星，博愛雜誌双月刊，第七卷，第五期，　國父遺教研究會高雄縣分會出版，民國七十三年九月一日，頁三八—三九。

註　七　李雲漢：國民革命與臺灣光復的歷史淵源，幼獅文化事業公司出版，民國六十九年七月三版，頁三二一—三三。

註　八　漢人，臺灣革命史，文海出版社有限公司印行，民國三十四年十月，頁三九—四〇。

註　九　林衡道主編：羅福星抗日革命案全檔（全一册），臺灣省文獻會發行，民國六十六年四月十日修正出版，頁四二。

註一〇　同前註，頁四一—四二。

註一一　曾迺碩，國父與臺灣的革命運動，幼獅文化事業公司出版，民國六十七年三月出版，頁二〇六。

註一二　同前註。

註一三　同註四，頁九四。

註一四　王惟英編：羅公福星紀念册，頁一六。

註一五　臺灣抗日忠烈錄（第一輯），臺灣省文會編印，民國五十四年十月出版，頁一〇三—一一二。

註一六　同註九，頁三三四。

第四節　六甲事件

苗栗事件結束後，羅福星被捕殉難，表面上看，臺灣抗日革命運動，似乎暫時被日本暴力鎮壓下去而平靜了。實際上臺灣各地同胞抗日的行動，受辛亥革命成功之影響，仍在暗中激盪，在每位臺胞心目中，並未因日本鎮壓而稍息。果然未出三個月，復有六甲事件發生。六甲屬於嘉義廳管轄，位置在烏山頭之西，林鳳營之南，設有六甲支廳。（註一）羅阿頭因不滿日本之高壓統治，在此高舉義旗，反抗日本的怒火又開始了。

一、羅阿頭起來抗日

六甲事件之領導人羅阿頭（亦名羅臭頭）住嘉義廳店子口支廳之南勢庄，其家世頗為富裕，幼時聰明好學，並習拳術，文武具佳，廣交識，不事生產。自與兄羅順興分家後，家道漸次中落。民國二年秋因案由店子支廳加以行政警戒，臭頭不堪警察之干擾壓迫，遂携帶妻子，避入六甲支廳之烏山頭。（註二）自幼他就有民族意識，再加上受日人之壓迫，抗日仇敵的心理更甚，雖抱有驅逐日人，光復臺灣之夙志，但知力薄，孤掌難鳴。棲隱烏山以後，物色同志，與大坵園庄陳條榮、羅文卿等相交甚密。他們平時對日在臺之暴政，均極感不滿，非常憤慨。他對羅福星在臺領導抗日之行動，結合如此，多對日不滿之志士，聲勢又那麼浩大，不但十分敬佩，更鼓舞他抗日之信心。本有意響應羅福星之起義；後聞羅氏被捕就義，未能如願，遂下決心要爲羅氏復仇。（註三）

民國三年四月，羅阿頭乃遷居大南勢庄，築小屋於山中，（註四），主要脫離日本警察監視，便於在此起義，入夜研究兵書，以及觀音經等。（註五）羅阿頭乃用心計畫地在二尖山，位於標高二千八百五十尺之山腹約九縫口之豁間，係火山廟舊跡，今猶稱做火山巖，深受庄民尊信之靈域。似如刀削刮斷崖，圍繞周圍，更有鬱蒼樹叢蔽住當之避遁場所。若由正面進出則由於蔦蔓蓋住懸崖絕壁，單身亦難於攀登，而須先沿背後樵路，再大迂迴經距長峻阪險路，出山巓，又循沿稜線，向右下行方向可抵達巖窟。據稱，同地雖距前大埔派出所呼聲回應，但因須取右迂迴路，如平地人之脚力，往復勉強亦須費一天行程。（註五）盤據於如斯天險，日夜研究兵書，以及觀音經等，他乃用心計畫，如何推翻日本政府，使得完成民族革命。遂加緊募集黨員，急於組織革命黨。（註六）他在六甲支廳，徵得羅獅，羅陣兄弟加入。當時，總督府曾擧行討伐生番，且命令各地警察官徵集多數保甲人夫，結果此地一帶居民陸續被徵用。因彼等認爲番地行甚危險，企圖逃走者甚衆，而警察官實行防止窮極之策，不得已對保甲民加強壓迫手段。此地方係屬歸順土匪村莊，無賴之徒卻懷思昔日之亂世，嫌惡今日之有秩序生活。值時，羅阿頭趁此良機，乃召集逃亡者。尚勸誘、若保甲人夫徵召者，其避應徵逃入岩窟內，均能受安穩保護。於是，對政治抱懷不平份子相繼出入同岩窟，或懷迷信觀音佛祖等亦有不約而同入山者，但均被羅阿頭之秀麗容貌及橫溢才智誘惑，於神前結盟，為其部下者，有羅春生、陳老豹、羅頓、楊松、羅添丁、王朝枝、李松、林班、陳保、羅善等為先，繼達庄衆數十名。

禮拜堂前，聚有五枝竹以作為旗竿，懸掛青、赤、黃、黑、紫之五色旗，黑旗以紅色字外其他各色旗均以黑色書文字。祭壇上，弔一個二寸四角形袋，供置香爐一個，奉祀天公，三界公等列神。受羅阿頭指揮於神前結約者，嚴告不得有違約行為，若違背者應受嚴重處罰。（註七）其中羅獅、羅陣、陳條榮等，時常聚於山中小屋，討論革命方法，主要在擴大招募同志，培養勢力以擊敗日本，如能打垮日本在臺政府，報請我政府論功行賞，而達終生之宿願。（註八）

二、事不由己，先發制人

在羅阿頭、陳條榮的秘密劃下，使臺灣人民在日本暴政下響應抗日革命的人數逐漸增多，尤其附近各村莊的人民，聞風而來，紛紛參加，有數百同志（註九）。於是羅阿頭所領導抗日武力很快壯大。他們計畫於民國三年（西元一九一四年）舊曆七月發難，攻取六甲支廳；不料在準備發難的前夕，五月五日，日警勿然發覺店子口支廳大埔派出所內遺失村田槍二支及子彈若干？當時距離羅福星革命事故發生不久，日本當局一得情報，即大爲緊張，開始大規模搜查。（註一〇）羅阿頭得知此一消息後，立刻召集同志研討，如革命組織在義學前遭日破壞，則對我們革命工作推展非常不利，於是羅阿頭決定先發制人，提前於五月七日夜起義。（註一一）

羅阿頭提前起義的消息發出後，革命同志遂於五月七日夜紛紛齊集羅之住處，待命行動，攻取六甲支廳，順途襲擊大坵園，王爺宮派出所，適逢兩派所警員外出皆不在，未達到殲敵之目的，（註一二）一無所獲。沿途民衆，聞起義抗日事發，自動踴躍參加者，有七、八十名，各持槍刀，棍現成武器，一路向六甲前進。但六甲支廳早已接到情報，急派警部補野田又雄，率巡查一隊，於八日夜趕到王爺宮營造材地，與羅等一行遭遇，（註一三）互相攻擊開戰，野田警部首先開槍。一行於是夜十一時許，利用月光於上述造林地附近山路進行中，被羅部發現，羅獅、羅陣、陳條榮、林班等，隱匿於自同山路向六甲之右手高地萱草叢，另楊松、李松等隱匿於同處之左手高地萱草叢，安放槍械，引進警察隊至眼底下，實行俯瞰夾擊，彼等携帶槍械多屬舊式，如楊松於現場射不出一發子彈。是時，野田警部補之右下腹部及右腕上膊部各受盲貫槍創傷，外一行均無受傷，一同伏射積極應戰，結果，沒有統系烏合之衆羅部，竟未反抗忽退回本隊，中途邂逅聞彈聲馳來之槍械携帶者羅阿頭、王朝枝、李岑、陳良等，雖經羅阿頭諭須堅持到底，但羅卻未允仍向後方退走。但結果羅部終未抵抗結果崩潰。野田警部補負傷後一時倒地於現場附近，未幾，因下腹部創傷而動脈大量出血，竟於八日午前之時許，死亡。（註一四）

從此羅阿頭、羅陣、陳條榮、林班、李松等，逃至楊松宅用早餐後，携隨留置於此之眷屬，與其他逃走者，一同攀越烏山嶺險境，出三脚石，逃竄各方。其後，嗣受警察包圍，結果，始自頭目羅阿頭等相繼自殺、餓死，或因抵抗被殺戮者，層出不窮。此外，大部分均就捕。（註一五）總之，未達目的而遭失敗。

此事件後經臺南地方法宣告判決者，死刑八名，無期徒刑六名，有期徒刑七年九名，無罪者無。

臺南地方法院檢察官松井榮堯以臺南地方檢學第一七六三號（大正三年十二月四日），呈臺灣總督伯爵佐久間馬太閣下有關六甲事件判決報告乙份如下：

本年八月二十五日，以檢親發第八八號報告在案，對於六甲匪徒事件，起訴之被告二十三名，經審理結果，業已宣告判決如左：

恭請　鑒核。

死　刑　羅　獅　缺　席

死　刑　李　松　缺　席

死　刑　林　班　缺　席

死　刑　陳條榮　缺　席

死　刑　王朝枝　缺　席

死　刑　楊　松　出　席

死　刑　劉　德　出　席

死　刑　羅添丁　出　席

無期徒刑　李　有　出　席

無期徒刑　陳老豹　出　席

無期徒刑　陳　保　出　席

無期徒刑　羅春生　出　席

（即羅豬江）

無期徒刑　陳　德　出　席
無期徒刑　羅　頓　出　席
有期徒刑七年　陳東法　出　席
有期徒刑七年　陳大耳　出　席
有期徒刑七年　羅　云　出　席
有期徒刑七年　林　硯　出　席
有期徒刑七年　羅　心　出　席
有期徒刑七年　楊來盛　出　席
有期徒刑七年　陳　曾　出　席
有期徒刑七年　湯茂隆　出　席
有期徒刑七年　林智投　出　席

以上二十三名（註一六）

三、事雖失敗，精神可佩

以上在羅阿頭烈士領導抗日之六甲事件，凡參加之志士，無論是被日人判處死刑也好，無期徒刑也好，有期徒刑也好，他們都是受害者。固然他們有些爲國捐驅，在民族大義下犧牲了，但是他的犧牲是有意義，而且也有價値的。事雖失敗，其精神可佩。

羅阿頭家庭富裕，聰明又好學，幼習拳術，知文又能武，心胸寬闊，但看不慣欺壓善良之惡勢力。日本人在臺專橫，當然他也看不慣，再加上他因案曾受到日警行政戒告，且不堪日警之干涉壓迫，舉家搬遷避入六甲支廳烏山中。由於日本統治當局之專橫，親身感受而激發出之民族意識及仇日心理，遂抱有驅逐日人之志。此時祖國辛亥革命成功，推翻滿清異族統治，更啓發和鼓舞抗日之精神。他深感勢力單薄，難以奏功，時常下山，物色同志，遂加緊募集黨員，急於組織革命黨，培養革命勢力，以期擊敗日本，而達成驅逐日本人之心願。羅乃用心計畫，自從羅獅、羅陣兄弟加入革命後，常與他們在山中小屋討論革命方法。雖然他們所使用的方法未脫離迷信「誦經禮佛」之色彩。但較往劉乾等更進一層，至少知道運用民族革命的方法，組織革命黨，擴大招募同志，培養擊敗日本之實力。（註一七）如得打垮日本政府，羅阿頭即可登極，部下當論功行賞。（註一八）關於此種主張，可見他仍未脫離英雄主義。

由於事急，非先發制人不可，羅阿頭領導部屬抗日，雖然沿途民衆，聞風響應，踴躍參加者，有七、八十名，因平時感受日本當局的壓迫，均能英勇奮戰，慷慨犧牲，但由於部衆缺乏組織與訓練，應以烏合之衆視之，再加上武器裝備亦不如日人，混戰多時，羅軍漸感不支，分散仍退回山中。羅見事不可爲，因不願被捕受辱，與羅陣、羅其才，同時自殺。（註一九）羅能表現出士可殺而不可辱之民族正氣，可能與他讀書有關，他這種反對異族統治的犧牲精神，已列入臺灣抗日史册，實使我們非常敬佩。

六甲事件參加抗日志士死亡原因調查清册：

㈠自殺、餓死、殺戮部分：

職稱	被告人姓名	被告相關係	動機	槍器	死亡原因	發覺原因	管轄支廳名
首魁	羅臭頭	陳保之妹婿。	對行政告戒及日本官憲不滿。	槍器	五月二十九日，被追跡進退維谷而自殺。	據羅屋之供述。	店仔口
幹部	羅陳	羅獅之弟。	恐犯罪被發覺。	槍器	五月三十日被追跡進退維谷而自殺。	據羅屋之供述。	六甲
幹部	李岑	與羅獅懇	強制募集人夫。	臺灣刀	五月十九日僞指	據羅屋	六甲

		親。			槍器下落，以臺灣刀反抗殺戮之。	之供述。	
	陳清德	與羅獅懇親。	強制募集人夫。	臺灣刀	五月十九日，被發現餓死於中寮溪。	據羅屋之供述。	六甲
旗手	羅屋	羅獅之鄰居，甲長。	恐受譴責與對日本官憲不滿。	槍器	與嫌疑者同行途中恐被發覺而以臺灣刀反抗殺戮之。	據陳保之中述。	六甲
	羅烏番	羅獅之鄰居。	隨從。	臺灣刀	與嫌疑者同行途中恐被發覺而以臺灣刀反抗殺戮。	據陳保之供述。	六甲
	林牙非	羅獅之鄰居。	隨從。	臺灣刀	與嫌疑者同行中恐被發覺而以臺灣刀反抗殺戮。	承認。	六甲

	李　勤		隨從。	臺灣刀	奪警察佩劍，反抗被槍殺。	據陳保之供述。	六　甲
	曾萬台		對官憲不滿。	臺灣刀	奪警察佩劍，反抗被槍殺。	據陳保之供述。	六　甲
幹　部（司祭者）	羅　善		迷信及受羅臭頭勸誘。	槍　器	押送途中反抗警察，且擬奪槍器受槍殺。	承認逃亡。	六　甲
	陳　良	陳保之弟	親近首魁而受勸誘。		押送途中逃走，又以臺灣刀反抗受槍殺。	承認逃亡。	店仔口
	陳　恆	陳保之弟	親近首魁而受勸誘。		押送途中逃走又以臺灣刀反抗受槍殺。	承認逃亡。	店仔口
	羅其才	羅獅有關人。			六月一日於距中坑頭北方約四丁	縊死承認。	六　甲

之處縊死。

㈡逮捕中之部分：

職稱	被告人姓名	被告人互相關係	動機	兇器	發覺原因	管轄支廳名
幹部	林硯		隨從	臺灣刀	據陳東法之供述。	六甲
	陳東法		對官憲不滿（無賴漢）。	臺灣刀	據陳保之供述。	六甲
	羅頓		隨從	臺灣刀	承認逃走。	六甲
	劉德	羅獅之姊夫。	隨從	槍器	承認逃走。	六甲
	楊松	羅獅之舅	對官憲不滿。	臺灣刀	承認逃走。	六甲
	蔡存		隨從	臺灣刀	承認逃走。	店仔口
	陳保		親近首魁受勳誘。	棍棒	承認逃走。	店仔口
	楊得		楊松之子，故與父同行動。		承認逃走。	六甲

職稱	被告人姓名	被告人互相關係	動機	兇器	發覺原因	管轄支廳名
	楊老令		楊松之侄，故與伯父同行動。			六甲
	曾皮		強制募集人夫。		承認逃走。	店仔口
	黃銀恭		強制募集人夫。		承認逃走。	店仔口
	羅花慶		隨從		承認	店仔口
	羅萬福		隨從		承認及被發現紋章。	店仔口
羅臭頭之妻	羅陳氏好				承認逃走。	店仔口

㈢逮捕解除部分：

職稱	被告人姓名	被告人互相關係	動機	兇器	發覺原因	管轄支廳名
	曾朱德		強制募集人夫		據羅星供述	店仔口
羅屋之侄	羅春生（即羅知江、羅豬江）		不明		據陳東法供述	六甲

職稱	被告人姓名	被告人互相關係	動機	兇器	發覺原因	管轄支廳名
	陳大耳		不明		據陳東法供述	六甲
	陳仗成		不明	臺灣刀	據陳東法供述	六甲
	林添賀		不明		據陳東法供述	六甲
	楊來盛		不明		據陳東法供述	六甲
	李碧		不明		承認	六甲
	林昌		不明		據陳東法供述	六甲
	林知投		不明		據陳東法供述	六甲

(四)未逮捕部分：

職稱	被告人姓名	被告人互相關係	動機	兇器	發覺原因	管轄支廳名
副首魁	羅獅	羅臭頭之懇親	恐犯罪被發覺	槍器	據羅屋之供述	六甲
幹部	李松	李岑之弟	強制募集人夫	槍器	據羅屋供述	六甲
幹部	王朝枝		強制募集人夫	不明	據羅屋供述	六甲
幹部	林班		對官憲不滿	槍器	承認逃走	六甲

職稱	被告人姓名	被告人互相關係	動機	兇器	發覺原因	管轄支廳名
幹部	林皮		不明		據陳法供述	六甲
	陳條榮		對官憲不滿	槍器	承訊逃走	六甲

(五)未檢舉部分：

職稱	被告人姓名	被告人互相關係	動機	兇器	發覺原因	管轄支廳名
	蔡知母				據羅陳氏好供述	店仔口
	吳呆				據羅陳氏好供述	店仔口
	羅來				據羅陳氏好供述	店仔口
	羅仁				據羅陳氏好供述	店仔口
	蔡來元				據羅陳氏好供述	店仔口
	羅全成				據羅陳氏好供述	店仔口
	蔡界諒				據羅陳氏好供述	店仔口
	羅井				據羅陳氏好供述	店仔口
	蔡大笨				據羅陳氏好供述	店仔口
	羅豆粒				據羅陳氏好供述	店仔口

羅　福				據羅陳氏好供述	店仔口
龔　九				據羅陳氏好供述	店仔口
蔡　榮				據羅陳氏好供述	店仔口
吳　忠				據羅陳氏好供述	店仔口
羅　重				據羅陳氏好供述	店仔口
李海洋（即福來）				據羅陳氏好供述	店仔口
游　丁（姓不詳）				據羅陳氏好供述	店仔口
胡　學				據羅陳氏好供述	店仔口
蔡　放				據羅陳氏好供述	店仔口
老　豹（姓不詳）				據羅陳氏好供述	店仔口
某　某（王朝枝之弟）				據羅陳氏好供述	店仔口

（註二〇）

六甲事件參加抗日事件簡歷：

姓名	年齡	職業	住址
羅獅	二十八歲		臺南廳赤山堡大坵園庄土名中坑二十二號
李松	三十二歲	農	臺南廳善化里東堡南勢坑庄二十號
林班	三十歲	農	臺南廳赤山堡九重橋庄二十號
陳條榮	四十歲	農	臺南廳赤山堡大坵園庄十四號
王朝枝	三十二歲	農	臺南廳善化里東堡南勢坑庄二十號
李有	四十歲	農	臺南廳赤山堡大坵園庄十四號
陳東法	三十二歲	農	臺南廳赤山堡九重橋庄土名匏寮十四號
陳大耳	二十四歲	農	臺南廳赤山堡大坵園庄七十九號
羅云	四十三號	農	臺南廳赤山堡大坵園庄二十二號
林硯	二十五歲	農	臺南廳赤山堡九重橋庄土名匏仔寮二十號
羅心	三十三歲	農	臺南廳赤山堡大坵園庄土名中坑十四號
楊來盛	二十六歲	農	臺南廳善化里東堡南勢坑庄二十一號

陳曾	三十歲	農	臺南廳赤山堡九重橋庄土名鉋仔寮百三十四號
湯茂隆	二十八歲	農	臺南廳赤山堡大坵園庄土名中坑二十二號
陳老豹	四十歲	農	臺南廳善化里東堡鳴頭庄土名馬斗欄三號
陳保	三十五歲	農	嘉義廳哆囉　東頂庄下南勢庄土名橫路三七七號
林智投	二十四歲	農	臺南廳赤山堡九重橋庄土名鉋仔寮一一四號
楊松	四十四歲	農	臺南廳赤山堡大坵園庄土名中坑十四號
羅春生	二十一歲	農	臺南廳赤山堡大坵園庄土名中坑二十二號
陳德	二十五歲	農	臺南廳赤山堡九重橋庄百二十二號
劉德	四十歲	農	臺南廳赤山堡大坵園庄土名中坑十四號
羅頓	二十二歲	農	臺南廳赤山堡大坵園庄土名中坑十四號
羅添丁	二十四歲	農	臺南廳赤山堡大坵園庄土名中坑十四號

六甲事件參加抗日被日判決志士：

被告：羅獅、陳條榮、李松、王朝枝、林班、羅添丁、楊松、劉德，各處死刑。

被告：陳保、羅春生、羅頓、陳德、陳老豹、李有，各處無期徒刑。

被告：陳東法、林硯、陳曾、陳大耳、羅心、湯茂隆、林智投、羅云、楊來盛，各處徒刑七

年。（註二〇）

【附註】

註一　臺灣省通志，卷九革命志抗日篇（全一册），臺灣省文獻會，民國六十年六月三十日出版，頁四四。

註二　洪敏麟主編，雲林，六甲等抗日事件關係檔案（全一册），臺灣省文獻委員會發行，民國六十七年十二月出版。頁一四三。

註三　蔣子駿：羅福星與臺灣抗日革命運動之研究，黃埔出版社，民國七十年十二月出版，頁一七八。

註四　同註一。

註五　同註二。

註六　同註一。

註七　同註二，頁二二五—二二六。

註八　同註一。

註九　同註三。

註一〇　同註一，頁四五。
註一一　同註三。
註一二　同前註。
註一三　同前註。
註一四　同註二，頁二二八—二二九。
註一五　同前註。
註一六　同前註，頁二三八—二四〇。
註一七　同註一。
註一八　同前註。
註一九　同前註，頁四五。
註二〇　同註二，頁二一一—二一七。
註二一　同前註，頁二四一—二四二。

第五節　西來庵事件

西來庵（又稱噍吧哖）抗日事件係由余清芳領導，其事件發生於民國四年夏間，距離羅福星抗日殉難後剛滿一年，六甲抗日事件不滿半年，余清芳抗日事件又起。充分證明，由於祖國辛亥革命成功，鼓舞了臺胞抗日情緒，再加上不滿日人之暴虐統治，所以抗日事件較前更頻繁，一波甫平，一波又起，前後不斷在激盪，抗日事件始終不斷的在發生，使日人窮於應付。總之，日寇異族在臺灣一日不驅逐出去，在臺抗日事件就一日不會終止。

圖十一　余清芳遺像

余清芳以臺南西來庵爲抗日籌備所，故日人稱爲西來庵事件。（註一）我臺胞稱之爲「噍吧哖慘史」。噍吧哖乃是一地名，即今日之臺南縣玉井鄉。民國三十四年，臺灣光復後，爲紀念余清芳此一抗日事件之犧牲，特在玉井鄉虎頭山立紀念碑一座，供後人追憶此一抗日悲壯史實。噍吧哖慘史不能忘，由於日軍當年在臺淫威肆虐，臺胞在余清芳領導下揭竿而起，雖然此一抗日事件失敗，但此血淚壯烈可歌可泣的事蹟，名聞中外，早已流傳人間，值得我們永遠紀念。

一、西來庵抗日事件之背景

余清芳（又稱余清風）別名滄浪，通稱（余先生）。父名余蝦，母名余洪好，早年從閩南遷來臺灣阿猴廳，後卜居臺南廳長治二圖里後鄉庄。清芳於光緒五年（西元一八九七年）十二月生於阿猴廳，六、七歲時就讀私塾，習國文數年。父早已去世，母持家務，因家道清寒，故於十二、三歲輟學，傭於米店，得微薪以奉養寡母。日軍侵佔臺灣時，年方十七歲，不願受異族統治，投身武裝抗日義軍。（註二）抗日失敗，隱居自重，不露仇日聲色。光緒二十五年（西元一八九九年），任職臺南廳巡查補，被派在臺南、鳳山、阿公店等地服務，他在二十至二十九歲之間，都從事斯職，因他個性豪爽，喜交際，看不慣日人在臺之暴虐統治，漸露反日言論，已引起日人注意。光緒三十年（西元一九〇四年）辭去巡查補職務後，經常出入臺南廳各齋堂，勸誘佛教信徒，利用信仰，讓他們參加抗日大業，以擴大抗日勢力。三十歲加入鹽水港二十八宿會之秘密抗日活動，日警發覺後被捕，押送臺東加路蘭流浪者收容所。因他謹愼並且勤勞，經過二年十個月的日子，釋放回鄉。（註三）

他在拘留「管訓」期間，吃了不少苦頭，從此他對日本人更痛恨在心，於是利用機會，多方接近民衆，宣傳反日，當時祖國革命日盛，更得其力。在此期間，結識了臺南廳參事蘇得志，因蘇得志的關係又加上大潭莊區長鄭和記。余、蘇、鄭三人時常往來會談，傾吐反日心情，蘇、鄭二人非常讚同余清芳之主張，並暗中協助。（註四）他倆雖未敢參加實際工作，但對余清芳反日活動幫助甚大。

日人竊據臺灣以後，採取各種方法壓制，希望臺胞馴服，不知多少臺胞，因不滿日人之作爲，遭受日軍無故屠殺，住屋被焚燒者，亦不計其數。日本在臺之統治，可以說暴虐如猛虎，我臺胞在日本異族暴虐統治下，求生不得求死不能，當然對日不滿。因此迫於走投無路，只有紛紛起來抵抗，自甲午戰敗後，乙未日本據臺，以迄羅阿頭志士在六甲起義。在此二十多年間就發生過十多次較大規模的抗日運動；如先前唐景崧，丘逢甲、劉永福之反抗日本佔領臺灣。次後如林大北、簡易、柯鐵、陳發、蔡清琳、劉乾、黃朝、陳（沈）阿榮、張火爐、李阿齊、賴來、羅福星、羅阿頭等。他們都是在日本佔領臺灣後，因不滿日人之暴虐統治而起義反抗。余清芳富有正義感並有民族意識，深受各次起義之影響，再加上祖國革命成功，在此背景下，認清日本帝國主義之陰謀，壓搾之目的，在從事對外侵略，余清芳因此產生了抗日革命思想，結合對日不滿份子，反抗日本在臺之暴行，於是就在西來庵（噍吧哖）起義。

二、西來庵抗日事件之經過

余清芳為西來庵抗日事件之主腦，江定、羅俊二人副之，他們抗日共同的目的，不願受異族日本人之壓迫，而共同決定驅逐日寇，恢復國土，使臺灣重回祖國懷抱。

余清芳最有力的革命同志江定，歷居臺南廳，楠梓仙溪里竹頭崎庄之隘寮脚，資望高而富有俠義心，被擧為區長，在職二年餘，光緒二十五年（西元一八九九年）由於職務上的關係曾擊斃莊民張掽司，被噍吧哖日本憲兵捕去，治以殺人罪，他俟機脫走，走隱山中，當時以為他已死亡。詎料翌年全臺各地義民紛紛再起抗日時，江定也率領義民四、五十名，出現嘉義廳下後大埔方面打游擊戰，時戰事至為猛烈，他卻安然無事，再退入山中。（註五）光緒二十七年三月，日軍在臺南廳南庄逮捕二嫌犯，詢問鄰近，證言其中一人為江定，遭殺害。其實江定與其子江憐已脫逃入後掘子山中，擇天險要地，作為防禦線，結草屋居住，結合甲仙埔及六甲方面抗日志士數十人，待機再作抗日之擧，糧食為竹頭崎庄民提供。江定居山中十餘年，志士愈來愈多，有山內王之稱，身邊有兒有女。雖可享天倫之樂；但屆知命之年，不願與草木同朽，永困山中了此一生。（註六）於是決定下山結合志士擴大從事抗日工作，為國效命。

另一得力助手羅俊，參加余清芳抗日工作，時羅已屆花甲之年，但精神體力均佳，並富有民族意識和革命精神。世居嘉義他里霧。讀書而不喜科擧，後轉而學醫，光緒二十六年（西元一九

圖十二　羅俊遺像

〇〇年）投身義民抗日，事敗密渡回國，歷遊華南各地約七載，以假名羅秀或羅璧，潛返故鄉，家境大變，不僅三子俱歿，妻子亦已改嫁，家產竟被姪霸佔，且有被日警發覺被逮捕之危險。乃於光緒三十二年（西元一九〇六年）六月再回祖國，遍遊廈門、漢口，遠及安南、暹羅等地，以行醫或看風水爲業。（註七）雖然人在大陸，但對於驅逐日本人離臺，光復失土，時刻都未忘記。宣統三年，武昌起義，清廷退位，建立民國。羅俊東望臺灣，深感收復失土有望。民國三年臺南籍的陳全發，密渡廈門，尋訪羅俊，告訴余清芳在臺灣，忙於籌備抗日工作，並勸回臺共謀大擧。羅俊得在臺舊知嘉義廳西螺堡新宅庄賴成及臺中廳燕霧下堡黃厝莊賴楚各捐五十圓，共一百圓作爲旅費，經鄭龍手送給羅俊，於同年十二月中旬，以齋友名義，率同許振欽、余金鳳、余炳祝、余大志及白石紫、余世鳳二女性，由廈門登船，同月十六日抵淡水，遂即造訪賴慶、賴成、賴淵國、賴楚、賴宜各志士，討論如何進行抗日工作，以光復臺灣。（註八）

圖十三　西來庵圖

余清芳以西來庵爲籌備抗日基地，得同庵董事蘇得志、鄭利記兩人之協助，深得信徒之信仰，表面上已修築廟宇之名義，廣募捐金，實則抽出大部分作爲抗日軍資。此時亦有不少同志向各方面活動，一日，有一位張重同志，深悉臺中方面，羅俊已著手組織抗日團體，急報告余清芳與其合作，經張重之介紹，二人見面談及抗日事件，深感相見恨晚，決定誓約締盟，著手籌備，號召同志，在南北起義，二人會晤後，各別從事宣傳並組織團體，在此時余清芳又得同志林吉之介紹，入山探訪名聞各地之江定，由林吉安排以南庄興化寮爲余、江兩人會晤處。江定居住山中十年，外間消息欠通，唯反抗異族之統治心情，始終未變，兩人相談，一見如故，肝胆相照。（註八）江定立即贊成反日活動，俟機一到，當率志士下山殺敵。

余清芳自會晤羅俊及江定以後，加緊準備，利用宗

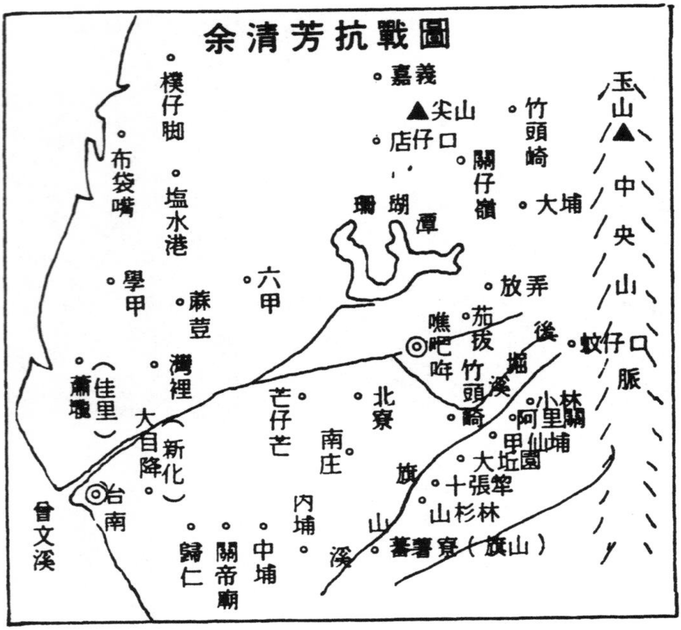

余清芳抗戰圖

圖十四　余清芳抗戰圖

教信仰，宣傳日人暴政，促起民族覺醒；又分發神符、咒文等，經常舉行扶乩，以鞏固大家的信心。這時候，羅俊等在中北部的宣傳也很順利；江定在山中聚集的武裝抗日同志也愈來愈多，一時南北各地加盟的人甚衆。余清芳看到時機已成熟，乃以大明慈悲國的名義，發表諭告文，此項諭告文，不啻爲一篇痛切淋漓的討日檄文，爰引其要點如次：

「大明慈悲國奉旨本臺征伐天下大元帥余諭三百萬民知悉。天感萬民，篤生聖主，爲民父母，所以保毓乾元，統馭萬邦，坐鎭中央。古今中華王國，四夷臣服，邊界來朝，年年進貢。豈意日本小邦倭賊，背主欺君，拒獻貢禮；不遵王法，藐視中原，侵犯疆土；實由滿清氣運衰頽，刀兵四起，干戈振動，可惜中原大國，變爲夷狄之邦。……倭賊猖狂，造罪彌天，怙惡不悛。乙未五月，侵犯臺疆，苦害生靈，刻剝膏脂，荒淫無道，絕滅綱紀，強制治民，貪婪無壓，禽面獸心，豺狼成性，民不聊生，言之痛心切骨。民命何辜，遭此毒害。……今年乙卯（西元一九一五年）五月，倭賊到臺二十年已滿，氣數爲終，方地不容，神人共怒。我朝大明，國運初興，本帥奉天，擧兵討賊，興兵伐罪，大會四海英雄，攻滅倭賊，安良除暴，解萬民之倒懸，救群生之性命，天兵到處，望風歸順，倒戈投降。本帥仁慈待人，憐恤性命，准人歸順。倘若抗拒，沉迷不悟，王師降臨，不分玉石，勿貽後悔。……望爾等良民，聽從訓示，遵守王法，早引歸順，勿生異心。爾等有志，意願投軍建功立業者，本帥收錄軍中效用，但願奮勇爭先，盡忠報國，恢復臺灣，論功封賞。本帥言出法隨，爲國薦賢，執法如山，決無偏私，爾等萬民，各宜凜遵而行，勿違於天。」（註九）日當局對這「計謀」本來微有所聞，到了民國四年五月二十三日，在基隆港開往厦門的日輪大仁丸中，發現臺南廳阿公店支廳居民蘇東海與同行兩華僑行跡可疑，遂加以拘留偵訊。蘇氏本爲抗日志士，拘留後爲恐抗日組織敗露，乘日警不備，託同拘留日籍娼婦代爲送信給員林之同志賴淵國，但此信爲日警截獲。信中通知賴氏情勢危急，盼早日作準備，如被查詢，應知如何作答，以免被此答話矛盾不同之處等等。

圖十五　江定遺像

由於欲蓋彌彰，更加暴露抗日活動之情形。而日警在獲得這項情報之後，便立即通知臺北、臺中、臺南各廳，大肆搜查抗日志士，由於日警搜查來的突然。如張謝成、張重、賴淵國等志士，未及走脫，先後被捕。（註一〇）羅俊也於六月二十九日在嘉義東堡竹頭崎庄尖山森林中被捕。

當時，余、江兩人是在嘉義、臺南、阿猴三廳交界的後堀子山中；此地山谷重疊，林木蓊鬱，所以日警察隊均無所獲。七月六日，革命黨人在臺南廳噍吧哖支廳牛港仔山與日人首次交鋒，雙方各有死傷，江定的兒子江燐於此役戰歿。余、江看此情勢已急，於是集合同志千餘人，祭旗興師，於七月九日拂曉，由余氏親率志士突襲甲仙埔支廳，另分隊襲擊小張犁、大坵園、阿里關等地警察派出所，殺日警及其家族三十餘人；八月二日，襲南庄日警派出所，殺死二十餘人，並乘勢於六日攻噍吧哖市街，佔據噍吧哖支廳東北一千八百公尺地點，標高三百九十三尺高地虎頭山，憑險築塞，與日方對陣。臺灣總督安東接獲這報告後，乃下令出動軍隊，星夜來援，可是出戰不利，又再派一大隊接援，日夜轟擊，連戰七晝夜。革命軍本來條件不足，經日方正規軍的猛攻，情形漸見惡劣，且因訓練不足，武器破舊，彈藥缺乏等，缺點甚多，愈爲明顯，終不能支持，大寮卒被攻破；六日傍晚，乃放棄陣地，分散退入各處山谷中，日軍警於是開始圍山，從事搜索。這時革命志士被殺的很多，被捕的也不少。（註一一）

當今村上尉率領的第二聯隊步兵開到噍吧哖時，擬有一個誘殺的詭計，以便一網打盡。他們首先高懸安撫的告示，詐稱准歸降者免死，到了在逃的庄民大多數歸村之後，乃藉口要分別善惡，命令庄中的所有壯丁老幼全數在郊野整隊排列，然後再命令他們携鋤掘壕，等到壕掘成，於八月三日把他們團團包圍起來，下令開槍射殺，這時候哀聲遍野無一倖存，死屍當然是集體埋在壕內，據說全村不分老幼盡在這殘忍的掃射下剿滅，日人深秘此事，被慘殺的數字雖然無從知悉，據估計至少有數千人。後來臺人每談起這件慘案，莫不咬牙切齒，西來庵事件也稱噍吧哖慘史，原因在此。（註一二）

余清芳自噍吧哖突圍之後，就率領二百多親信同志，一路爬山涉水在四社寮溪畔和江定會合。這時候余清芳登高遠望，眼看日軍包圍過來，於是他對全體同志說：「現在日軍向我們包圍，而我們和江定一共只不過三百多人，實無法抵抗。我現在宣布解散部隊，各奔前程，以免被日軍發現用大砲轟擊。」余清芳和革命軍志士揮淚分別後，還剩下誓言同生同死的同

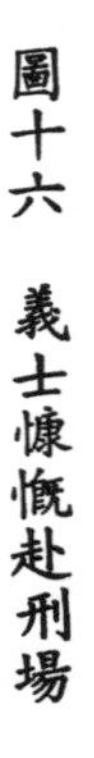

圖十六　義士慷慨赴刑場

志十一名不肯分離，他們一行在十五日越過臺南和阿緱廳界，十九日在到達二會林坪時被日軍發現。二十一日被日軍跟蹤到曾文溪，日警仍不敢冒險逮捕，就派當地人向余清芳大獻殷情，假意替他們瞞著日軍，就騙他們把槍械子彈全藏起來，結果一行八人全部被捕。（註一三）就此失去了自由，任由日人宰割。

余氏等被捕到後，日警即處心積慮捉拿江定，江與余氏在四社寮灑淚揮別之後，即率領二百餘人，退入阿緱廳及臺南廳轄內的深山，據險不屈。這地方廣袤百里，日當局無法找出他們的踪跡，不得已改變方式，運用地方人士入山勸誘他們出來投降；可是江定不相信日人有此誠意，懷疑那可能是一種騙局，想萬一到了絕路時，與其出而受辱，不如自殺了之。民國五年四月十六日，江定接見日當局授意的已投降的舊日股肱石覺和同行的張阿賽等人，經他們的慫恿和誓死保證，況且眼見大勢已去，這才動心，決意下山投降。五月一日，留在山中的革命黨人全部被誘出下山自首，其數共有二百七十名。（註一四）

余清芳等志士被捕後，日本「臺灣安東總督」，遂下令在臺南開設臨時法院，仍依照苗栗事件（羅福星烈士領導抗日事件）所使用之「匪徒刑罰令」處置，八月二十五日開始審判，至十月三十日審判終結。根據當時「臺灣總督府」法院檢查官日人上內恒之部所著之臺灣刑事司法政策論指出：「被判決的有一千六百餘人，其中處死刑者超過八百人」，爲世界審判史上前所未有。（註一五）由此，可知日本人之殘酷，殺人如麻，這一筆血債，使我中華兒女永不會忘記。西來庵抗日事件，歷經一年八個月，自民國三年十二月，余清芳、羅俊二位首領會晤後，江定後來亦加入抗日行列，至民國五年一月江定犧牲生命止。此一抗日事件範圍最廣，戰鬥之激烈，犧牲的壯士最多，爲臺灣抗日史上前所未有。除了抗日志士作戰犧牲千餘人外，而善良百姓牽連而遭受殺害者，亦有數千人之鉅。另外我臺胞之財產之損失及房屋焚燬，其價值也難估計。日本在此事件中，也付出了相當代價，死傷的也有數百人，此一事件給殘暴的日本統治者當頭一棒。讓日人知道我中華兒女不可欺。而對我廣大受害的志士及同胞來說，他們的犧牲是有代價的，不但激起了我臺胞的愛國心，更增加了民族的意識及

圖十七　日軍設在台南的噍吧哖支廳

抗日的信念。大家深深的體會到，在異族統治所遭受的痛苦和悲慘，只有驅逐日寇，重回祖國懷抱，才能得到安樂和幸福的生活。

西來庵事件余清芳等志士被日判刑人數：

日臺灣總督府自民國四年五月，開始檢舉本案的革命黨員，鑑及本案的重大性，即以府令第五〇號，在臺南開設臨時法院，派高田富藏、藤井乾助、渡邊啓大、大內信、宇野庄吉等五人爲臨時法院判官，手嶋兵次郎、土屋達太郎、早川彌三郎、松井榮堯、筒井清涼等五人爲檢查官，準備適用「匪徒刑罰令」，來處罰革命黨人，到了八月二十二日余清芳等人被捕，即迅速地於八月二十五日開始公判，至十月三十日草草地宣布全案審理終結，被告共達一千九百五十七名，宣判的結果：死刑八百六十六名，有期徒刑四百五十三名，行政處分及不起訴共五百四十四名，無罪八十六名，其他八名，詳列如左表：

處分區別	移付審判	死刑	徒刑十五年	徒刑十二年	徒刑九年	無罪	非屬本管轄區	死亡	計
	一、四一三	八六六	一八	六三	三七二	八六	一	七	一、四一三

嗣後，日本國內的輿論及日本國會對臺灣當局處理本案的辦法及量刑頗多議論，認爲顯然失當，慘殺過甚，臺灣總督安東貞美於是藉大正皇帝登極，在是年十一月所頒佈的大赦令下，宣佈減刑。可是前被判的死刑者中，已有九十五名執行竣事，因此剩下來的七百三十一名便得減輕爲無期徒刑，其餘的也各得減刑一等。（註一六）

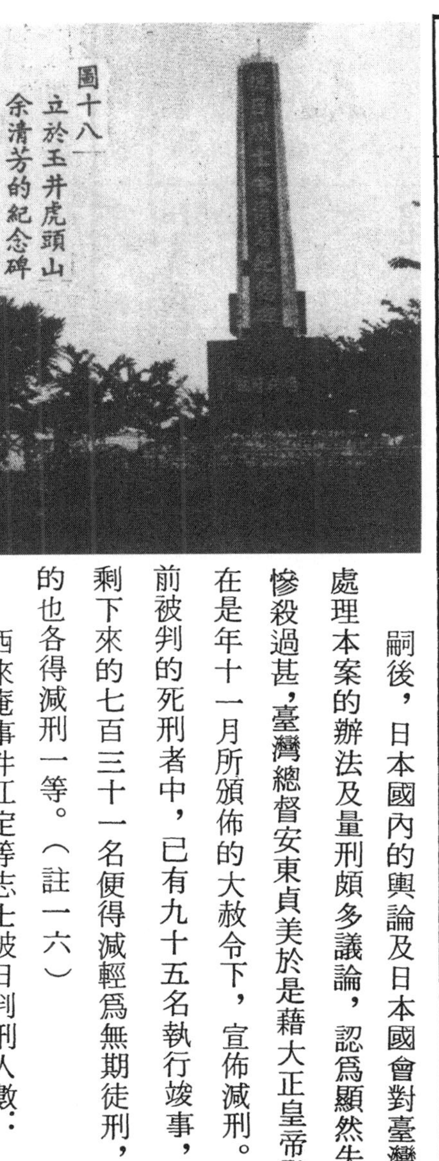
圖十八　立於玉井虎頭山余清芳的紀念碑

西來庵事件江定等志士被日判刑人數：

大正四年，在臺南地方法院開庭，宇野庄吉爲裁判長，松井榮堯檢查官長立會，對江定等五十一名開始審判。到了七月二日結審宣判：江定等三十七名死刑，他們是於九月十三日在臺南監獄絞首臺執行。這以外判徒刑十五年者十二名，判徒刑九年者二名。

類別		人數
檢查官不起訴		二二一
被檢查官起訴		五一
死刑		三七
有期徒刑	十五年	一二
	十二年	一
	九年	二
死亡		一
共計		五一

（註一七）

西來庵事件羅俊等志士逮捕歸案人員：

姓名	年齡	住址	逮捕年月日	拘留場所
賴水	四十五歲	臺中廳燕霧下堡南平庄土名南平二十四號	大正四年六月一日	臺中廳
賴淵國	二十七歲	臺中廳燕霧下堡擺塘庄一百八十九號	大正四年六月一日	臺中廳
賴宜	四十八歲	臺中廳燕霧下堡黃厝庄土名黃厝一百三十號		
賴澤川	三十五歲	臺中廳燕霧下堡過溝仔庄	大正四年六月一日	臺中廳
黃木	二十九歲	臺北廳淡水街土名米市場街十九號	大正四年六月一日	臺中廳

黃　灶	三十五歲	臺中廳貓羅堡萬斗六庄六百九十五號壯丁	大正四年六月二日	臺中廳
林阿榮	二十七歲	臺中廳貓羅堡萬六斗庄七百十二號	大正四年六月二日	臺中廳
賴　楚	三十七歲	臺中廳燕霧下堡黃厝庄土名黃厝一百四十二號	大正四年六月四日	臺中廳
魏有信	五十九歲	臺中廳燕霧下堡黃厝庄土名黃厝五十一號	大正四年六月四日	員林支廳
林天賜		臺中廳線東堡彰化街		
羅　俊	六十餘歲	大陸（住所不定）		

（註一八）

西來庵事件日方被殺或陣亡部分（日警及日人民間住民人數，軍隊日方秘而不宣不在此列）

時間	地點	官職及其他	姓名
七月六日	楠梓仙溪畔	巡查（後升警部補）	柄屋末吉

七月八日	十張犂	巡查	長澤珍太郎
七月八日	十張犂		妻
七月八日	大坵園	巡查	藤田嘉一郎
七月八日	大坵園	巡查補妻	張　月　里
七月八日	大坵園	部落民	陳　雙　春
七月八日	大坵園	部落民	陳　　　玉
七月八日	阿里關	巡查	服部莊五郎
七月八日	阿里關		妻
七月八日	阿里關		長男虎五郎
七月八日	阿里關	部落民	綾部忠治
七月八日	阿里關	部落民	松尾
七月八日	阿里關	部落民	小林倉助
七月八日	蚊仔只	巡查	中尾力丸
七月八日	蚊仔只	警部補眷屬	山內
七月八日	蚊仔只	警部補眷屬	長男　和

七月八日	河表湖	巡查	廍生美藏
七月八日	河表湖		妻　子
七月八日	河表湖		
七月八日	小　林	巡查	小口善六
七月八日	小　林	部落民	佐竹　勢吉
七月八日	小　林	部落民	潘　明　清
七月九日	甲仙埔	巡查補	劉　食　妹
七月九日	甲仙埔	巡查補	莊　　安
七月九日	甲仙埔	巡查補	櫻木正輝
七月九日	甲仙埔	部落民	妻
七月九日	甲仙埔	部落民	諸橋和吉
七月九日	甲仙埔	警部補（後升警部）	田村邦之助
八月二日	南　庄	巡查	吉田國之
八月二日	南　庄	巡查	西山兵次郎
八月二日	南　庄	巡查	山田理作

八月二日	南庄	巡查	樋口良吉
八月二日	南庄	巡查	新居德藏
八月二日	南庄	巡查（後升警部補）	久家菊藏
八月二日	南庄	巡查	杉浦銀次郎
八月二日	南庄	巡查	井上平次郎
八月二日	南庄	巡查	坂垣仙藏
八月二日	南庄	巡查（後升警部補）	田口廣保
八月二日	南庄	巡查	松澤吉四郎
八月二日	南庄	巡查	國吉良藏
八月二日	南庄	巡查	江頭条吉
八月二日	南庄	巡查補	李　安
八月二日	南庄	公學校校長	坂間仁次郎
八月二日	南庄	公醫代理	永田實清
八月二日	南庄	公醫代理	妻　タケ
八月二日	南庄	部落民	池田高

八月二日	南庄		余愛
八月二日	南庄		外一名
八月二日	噍吧哖	巡查	高尾謙三
八月二日	噍吧哖	巡查練習生	而田小甫

【附註】

註一　臺灣省通志，卷九革命志抗日篇（全一册），臺灣省文獻委員會出版，民國六十年六月三十日，頁四五。

註二　余清芳抗日革命案全檔（第一輯、第一册），臺灣省文獻委員會印行，民國六十三年六月出版，頁五。

註三　同註一。

註四　同前註。

註五　同註二，頁七。

註六　同註一，頁四六。

註七　同註二，頁六。

註　八　臺灣史蹟研究會編：臺灣叢談，幼獅文化事業公司印行，民國六十七年十月再版，頁四七八。
註　九　王詩琅編：日本殖民地體制下的臺灣，衆文圖書公司印行，民國六十九年十二月初，頁一二六—一二七。
註一〇　臺灣抗日忠烈錄（第一輯）臺灣省文獻委員會編印，民國五十四年十月出版，頁一九—二〇。
註一一　蔣子駿：羅福星與臺灣抗日革命運動之研究，黃埔出版社，民國七十年十二月出版，頁一八六。
註一二　同註八，頁四八〇。
註一三　同註二，頁一八七。
註一四　同註九，頁一四一。
註一五　同註一三。
註一六　同前註，頁二四。
註一七　同前註，頁三二。
註一八　同前註，頁五二。
註一九　同前註，頁二五—二八。

第六章 結論

正當辛亥革命的高潮遍及全國的時候，臺灣已被腐敗的清廷割讓給日本已十多年了。臺胞在日本帝國統治之下；在政治上的表現爲專制和歧視，在經濟上的表現爲壟斷和搾取，在教育的表現爲差別和奴化。（註一）可以說他們沒有政治上的自由，經濟上的自由，更沒有教育上的自由，在作着殖民地奴隸的臺胞們，他們的民族意識一天比一天覺醒，對日本非常痛恨，且更延長到抗日運動上。所以在日據五十年中間，武裝抗日所發生的重要事件，北部三十二件，中部二十六件，南部四十件，共計九十九件。（註二）而大陸辛亥革命成功，中華民國的創立，曾給他們最大的興奮和鼓舞。他們知道中華民族是不可征服的。（註三）

辛亥革命成功後，也就是民國元年三月，臺灣南投南寮劉乾，曾集衆宣傳反日，主張驅逐日人。後來在林杞埔起義，攻打頂林莊的警察派出所，殺了警官數人，終於勢弱退藏山中。到了六月間，又有民雄的黃朝，黃老鉗二人在土庫計畫起義，不幸失敗。同年九月，南投的陳阿榮，結合黨徒數百，謀起事，終被捕。他們都以神道設教，希望革命成功。據當時日本當局統治者表示，他們也承認了這些事件都受了一九一一年中國辛亥革命的影響。因臺灣接近福建，而那時華南沿海均充滿革命朝氣。同時在　國父孫中山先生領導及策動之下，前仆後繼，轟轟烈烈，不斷的起義之故。至於直接與辛亥革命有關的，乃是羅福星的革命，羅曾在苗栗居住，祖籍廣東鎮平人，民前六年加入革命同盟會，辛亥時加入革命軍。親自參加三二九黃花岡之役，並組志士響應武昌起義。民國元年返臺，至苗栗宣傳抗日革命事宜，並糾合同志，秘密組織抗日革命團體，策動各方志士，以謀大舉，可惜先期革命計畫洩露，而遭日警破獲失敗。他是民國二年十二月十日被捕於淡水農民李稻穗家。他曾發佈革命宣言書，創訂密電碼與國內黨人密切聯繫，他的革命有步驟、有計畫、有目的，是近代化的民族運動家。死難時，除寫一首詩「祝我民國詞」特別把「中華民國孫逸仙救」八個字寫在句首，並寫一首絕命詞云：「海外炎氛濡一島，吾民今日賦同仇，犧牲血肉尋常事，莫怕生平愛自由」。（註四）他曾引證古語云：「殺頭相似吹風帽，敢在世中逞英豪。」又云：「人生只有一次生，豈有兩次死之理！當死而不死，遺千載之污名；當死而即死，留芳名於百世。」（註五）他的氣概表現是多麼的悲壯。另外，當羅福星組織革命團體時，新竹有張火爐和同志劉阿財，黃炳貴等，在大湖、大甲、鐵砧山脚莊及下罩蘭一帶，招集徒衆謀起義，事發，爲日警搜捕下獄。同年，臺南人李阿齊，亦秘密結黨，謀起事，先期被捕。又有苗栗三堡訓寮人賴來與謝石金、詹墩、謝水旺等數百人，歃血爲盟，更設壇祭五色國旗，然後武裝攻擊東勢角支廳，殺警數人，並毀其官署。但戰鬥結果，賴來和詹墩均陣亡，餘衆也潰散。到了民國三年，日政府於苗栗地方設臨時法院，審判在押陳阿榮、張火爐、李阿齊、賴來及羅福星所屬主要幹部，共捕九百餘人，其中判死刑者十二人，有期徒刑二百八十五人，無罪者僅有十二人，據日人報告，謂五起均爲單獨行動，初不相關。其實，他們受辛亥革命成功的影響頗大，尤其是羅福星與賴來等確有相當聯絡的。此外，在民國三年五月七日，又有嘉義廳南勢人羅阿頭、羅陣、羅其才糾衆圍攻大坵日警派出所及六甲支廳。不幸失敗，被捕者判處死刑者八人，無期徒刑者四人，有期徒刑者十人。翌年，更有余清芳、羅俊、江定組成大革命軍，給日本打擊最大，但亦失敗，陣亡達三萬人之多，可謂犧牲壯烈。事後，經人檢舉有二千多人，被判處死刑者有八百六十六人，有期徒刑者四百五十三人，日人稱爲「西來庵事件」（註六）。臺人稱噍吧哖慘史或稱噍吧哖事件。

由此看來，自一九一一至一九一五年，在此四年中在臺所發生之抗日事件非常頻繁，可以說：一波甫平，一波又起，並且一次比一次轟動，一次比一次壯烈，一次比一次參加的人數衆多，甚至地區亦更爲廣濶。對日人之打擊也一次比一次更大。由此可以明顯的看出，臺灣的抗日運動，完全受祖國辛亥革命成功的影響，連日本統治者當局也承認這個事實。

連雅堂先輩曾云：「臺灣之人，既係中國之人。因此臺灣的志士仁人，也無時無刻不在爲臺灣的光復而奮鬥著。他們奮鬥是朝著三個方向進行。第一個方向是努力於民族精神的保存與發揚，這就是連雅堂氏窮十年之力，撰寫「臺灣通史」。他曾言：「國可滅，史不可滅」，又云：「身爲臺灣人，不可不知臺灣史」，民族生命力就孕育於這種堅貞的志節中，連先生心血的結晶，在臺胞心裡培育了抗日光復的根苗。（註七）所謂的民族保存與發揚，基本上是由於中國之領土被異族佔領，主權喪失，國民被異族統治，淪爲奴隸而言。就此而論，臺灣被異族統治已有長久的歷史淵源。早在一六二四年驅荷運動，以及明末以來，史不絕書的抗清運動，後來臺灣地區的抗日運動，是有其一貫的歷史脈絡可尋的。無論是驅荷、抗清、或武裝抗日運動，雖然其對象不同，但民族的本質無異，皆爲反對異族之凌夷所致。荷西竊據時期，其目的是在驅逐荷人，恢復漢人的天下；滿清時代，更是以「反清復明」、「倒滿興漢」爲目標。日據時期，臺灣橫被割斷，歸隸日本，然而臺灣與大陸仍保持著密切的關係，任憑日本當局採取何種政策和措施，都無法切斷來自中國大陸的影響。臺灣人民永遠不會忘記祖國，也永遠不會丟棄民族文化；在日本人的強暴統治之下，渡過了艱辛苦難的五十年歲月，我們全體臺灣人民，仍以純潔的中華血統歸還給祖國，以純潔的愛國心奉獻給祖國。（註八）由於臺灣同胞不屈不撓，發揚了民族精神，結合了祖國抗日力量，最後終於完成光復臺第二個方向是嚴夷夏之分，秉春秋之大義。臺灣同胞的祖籍大多是在福建及廣東。連雅堂公曾云：「臺灣之人，既爲閩粵之族。」此一地區的同胞有他特殊的來歷，追溯本源，大多是來自中原。循歷史記載，居住在中原的同胞，有四次向南遷移的紀錄。第一次是在五胡亂華的時代；第二次是在後五代時期；第三次是在元兵南下的時代；第四次就是清兵南下的時候了。每次向南遷移，最後的歸宿，大都在閩南和粵東地區。他們南遷的時間有先後之別，但其目的相同，他們都是不願接受異族的統治，可以說是嚴夷夏之分而反對異族侵略的大遷移。因此，閩南人和粵東人在其先天的血液裡，就遺傳著熱愛國家與不屈服的民族奮鬥精神。就拿元世祖滅宋以後的十年間來看，所有反抗蒙古的志士，大多是福建人和廣東人。我們再看清兵入關以後，所有的反清運動，以閩南人所領導支持者，反抗最爲激烈，奮鬥時間最久。（註九）從這些事實來看，可以證明閩南人和粵東的居民，都富有熱愛國家保護種族的奮鬥精神。再看我們臺灣同胞，大多是從這些地區遷移來的，當然承襲他們這種熱愛國家，保護種族，反對異族侵略的奮鬥精神，故從一八九五年日本強割臺灣之後，乃有臺灣地區人民自然而發的抗日運動。臺灣在日本五十年之統治，始終不能消除這種抗日活動，日本採取各策略和措施，但無法「同化」臺胞，排斥我民族之傳統愛國思想嚴夷夏之分，也正是這種愛國民風最好的說明。

如今有人不讀歷史，否定臺灣人不是中國人，數典忘祖，實屬愧對先人，遺羞子孫。

第三個方向是與祖國的革命運動相互應。　國父倡導革命運動，組織第一個革命團體——興中會，就與臺灣有了密切關係。興中會成立於一八九四年中日甲午戰爭發生時，翌年清廷敗績，同日本簽訂馬關條約，將臺灣、澎湖割給日本。當　國父聽到臺灣被日軍佔領的消息，極爲沉痛，深恨清廷的腐敗無能；同時全國上下痛心滿清簽訂中日馬關條約，悲憤的情緒，瀰漫全國。　國父認爲這是革命的好機會，於是決定在十月二十六日（農曆九月九日）重陽節發動起義，而革命運動中的第一次起義，又發動於清及與日本訂立馬關條約，割讓臺灣之後，可見　國父領導革命就與臺灣密不可分之關係。

興中會成立後，　國父或以文字宣傳，或以言論昭示，一再重申光復臺灣的決心，不僅對當時的臺籍志士有所啓發，同時也揭示光復臺灣，收回失土，爲全中國人所責無旁貸者。光緒二十三年（西曆一八九七年）八月，　國父命陳少白來臺，得楊心如、吳文秀等協助，成立興中會臺灣分會於臺北；結納趙滿朝、容祺年等，積極發展革命組織，奠定臺灣抗日的基礎。光緒二十六年（西元一九〇〇年）九月，　國父自上海轉來臺灣，得陳秋菊的協助，在臺北新起町設立總部，指導第二次起義。（註一〇）而其以臺灣爲策劃惠州起義的基地，對臺灣革命運動的開展，且有相當程度的影響，後來臺籍志士爲響應祖國而起事的抗日運動，前仆後繼，當亦有其一貫之脈胳可尋了。

光緒三十一年（西元一九〇五年）八月，中國同盟會成立於東京。有全國十七省的留日學生參加了這個由　國父孫中山先生領導的革命組織，開啓了全國革命青年大團結的新局面。這一形勢的出現，不但使革命黨人增加了革命可「及身而成」的信心，也爲被割讓已達十年的臺灣同胞帶來了希望。因爲只有國民革命的成功，纔能使中國富強，只要中國富強，臺灣就必然可以光復。

宣統二年（西元一九一〇年）春，一位年輕的中國革命同盟會的會員王兆培來到了臺北。這位祖籍福建漳州的革命青年，是一位虔誠的基督教徒，同時也是一位堅毅的革命鬪士。他到達臺北後，一方面在臺北醫學校註册修習醫學；一方面卻秘密的在師友同學中找尋革命伙伴，想在臺灣建立中國革命同盟會的組織。終於，他在同班同學中找到了志同道合的知己——臺灣臺南籍的翁俊明。在王氏的影響下，翁氏深受同盟會革命宗旨的感召，遂毅然於同年的五月一日，宣誓加入同盟會，成爲中國革命同盟會第一位臺籍會員，同年九月間，中國革命同盟會設在漳州的機關部委任翁俊明——當時化名爲翁樵——爲交通委員，負責發展臺灣的會務，也同時宣告了臺灣同盟會亦即中國同盟會臺灣分會的成立。（註一一）其中包括了嶄露頭角的民族及社會運動領導人物蔣渭水等人，會員分佈的範圍愈來愈廣，會務的發展至爲迅速。

臺籍革命志士們，不僅是在中國同盟會的旗幟下建立了自己的組織，而且曾以實際的行動來支援祖國的革命運動。辛亥三二九在廣州第十次起義發動之前，臺北富室林薇閣及蔡法平等，均熱心贊助祖國革命，林氏曾一次捐助日幣三千元，交同盟會第十四支部長林文（時爽）所派來臺代表陳輿燊與王孝總，作爲黨人旅費之需。（註一二）在中國革命史上最壯烈的一次起義辛亥三二九黃花岡之役，臺籍志士們在此一役中，不但出過錢，而且流過血。根據已發現的革命文獻資料，證實至少有兩位臺籍志士參加，一位是臺南籍的許贊元，他是臺灣著名的愛國詩人許南英的次子，名作家許地山（筆名落花生）的胞兄。另一位是大名鼎鼎的羅福星，他是苗栗人，民國成立後，在臺組織抗日革命團體，該組織被破獲後，從容就義。臺籍志士之犧牲及對革命的奉獻，此一段光榮史實是不容湮沒的。

從這一段光榮的歷史來看，我們很清楚的認識一個事實，臺灣與大陸的關係是息息相關，其命運是一致的，血肉相連，如手如足，有大陸臺灣才有保障，有臺灣大陸更爲安全，因爲臺灣爲大陸一個外圍島嶼，也是大陸一個前哨站，它的戰略價值對防禦大陸太重要了，同樣的臺灣一切生活必需品都要來自大陸，可以說，二者是相互依存。其關係是不能分開的。臺灣的開拓與成長，都是我中華民族早期來臺的先民艱苦經營的結果，這是任何人都不能否認的事實。

臺灣同胞與大陸同胞都是炎黃子孫，不但有歷史的淵源，而且文化也是相同的，其血統生活、語言、宗教、風俗和習慣沒有不同的地方。臺灣同胞都是中華民族的後裔，任何暴力都無法阻斷他們的情感及分離他們之間的關係。馬關條約雖然把臺灣在政治上與大陸分開，臺灣同胞置於異族的統治，日本人無論用高壓或懷柔政策，都無法隔離此悠久的雙方民族情感，在民族意識型態上，日本人在臺灣統治五十年，但很難改變此一意識型態。臺灣同胞與大陸同胞至始至終都是休戚相關，文化一體而不中墜。臺灣在日本統治五十年當中，祖國的志士仁人無時無地不在爲臺灣的光復從事艱苦的奮鬥，而臺灣同胞亦無時無地不堅持中華民族的志節，保持「義不帝秦」的決心，矢志爲純正的炎黃子孫而驕傲，不但他們在臺反對日本的暴政統治，更進一步冒險奮起參加祖國的革命活動，他們深深的感覺到只有祖國的革命成功而且強大，臺灣光復才有希望，因此，臺灣同胞與大陸同胞命運是一致的，爲祖國的復興與臺灣的光復而努力，共同爲追求此一目標而犧牲奮鬥。

八年抗戰，臺灣得以光復，乃是全國上下共同犧牲奮鬥的成果。臺灣過去是國民革命所收復的目標，今天我們要以臺灣作爲復興基地，結合海內外愛國志士仁人，繼承國民革命光榮歷史的傳統絕不能因今日在臺灣一時之成就，出現紛歧思想，而應有理想、有目標，爲整個國家民族利益着想，共同犧牲奮鬥，以完成光復大陸的終極目標，實現共同的願望和歷史所負使命。

【附註】

註一 蔣子駿：羅福星與臺灣抗日革命運動之研究，黃埔出版社印行。民國七十年十二月出版，頁三六。

註二 張正昌：林獻堂與臺灣民族運動。臺北，通美印刷有限公司印，民國七十年六月初版，頁二五九—二六二。

註三 國立歷史博物館編印，中華民族在臺灣，中華民國六十一年七月初版。

註四 同前註。

註五 莊金德、賀嗣章編譯：羅福星抗日革命案全檔，（全一册）臺灣省文獻委員會印行。臺中，民國六十六年四月十日修正出版，頁四二。

註六 同註三。

註七 李雲漢：國民革命與臺灣光復的歷史淵源。臺北，幼獅文化事業公司發行，民國六十九年七月三版。頁五—六。

註八 同前註。

註九 同註一。

註一〇 葉蔭民：中國現代史話。臺北，中華日報印行，民國六十三年八月一日出版，頁一四。

註一一　同註七，頁二五。

註一二　中華民國開國五十年文獻，（第一篇第十四册），頁一〇三。

附錄

附錄一：日據臺灣時期重要抗日事件大事年表

朝代	年號	公元 日本紀年	發生重要抗日記事
清	光緒二二	一八九六 明治二九	一月戴阿成等數十名在宜蘭夜襲憲兵屯所，因寡不敵衆，潰散進入山區，另由黃國鎮、陳發等二百餘人，在後大埔，擊敗日軍，獲軍糧不少。 二月，簡玉和、范起品、李托生、胡阿珠等，在龍坡往大稻埕、艋舺之間，刺探軍情，事洩，除簡玉和脫險外，皆遇害。 三月，詹振、林李成、陳捷陞等二百餘名，在松山莊攻擊憲兵屯所，因彈藥不足，敗退。

六月，詹振、林李成等百餘人在內湖莊、松山，發布檄文，從事游擊戰。另簡大獅、盧野、許惩考等百餘人在淡水亦從事游擊戰，不幸失敗，退入山中。

七月，簡義等二千餘人，在雲林，光復雲林縣治，爲此時期抗日戰史最光榮之一役。另黃國鎭、郭金水、張福德、李欺頭等八百餘人，圍攻嘉義城，以響應柯鐵之光復雲林，後援不繼，敗退。同時鄭吉生、林春、陳魚、郭騰、簡慶、黃王成等數百人，在鳳山從事多次游擊戰，牽制日軍，也響應柯鐵光復雲林及黃國鎭之圍攻嘉義之抗日行動。

九月，鄭吉生等數百人在枋寮起事，因後援不繼，敗退。

十二月，柯鐵，張呂赤、賴福來、黃才等數千人，日軍、憲、警數千人，及臺中援軍，大舉來侵雲林鐵國山，抗日軍因後援不繼，敗退山中，嗣後廣事游擊戰。

朝代	年號	西元／日本年號	事件
清	光緒二三	一八九七 明治三四	三月，陳秋菊、陳捷陞、白慶良等，在大溪墘，分二隊往襲日軍，敗退，獲軍需品頗夥。 五月，詹振、陳秋菊、林水、白慶良、陳聳、陳捷陞等，自三張犂分數路會攻臺北城，戰況激烈，除重創日軍外，得銀五、六萬圓，因後援不繼，敗退。另黃臭等一百餘人，在鳳山攻大樹脚屯所，因日軍死守，無功而退。同時有蔡愛、高毛、胡福壽等一百五十餘人，在善化里西堡，襲擊日警派出所，因軍械不足，敗退深山，又林少貓等五十餘人，在鳳山，潮州間，截擊日軍，頗有展獲。 九—十月，黃國鎭、何良、鄭玉等千餘人，在羌仔寮、竹仔林二個等地起事數次，因後援不繼，敗退。
清	光緒二四	一八九八 明治三一	三月，柯鐵、劉德杓、林發等七、八百人，在大鞍莊與日軍激戰，因火力不足，退入深山，惟仍時常向林杞埔、南投、東勢角各地從事游擊戰。

六月，程賓等三百餘人，在臺中、臺南之間，經常與日軍激戰，因後援不繼，敗退。另林添丁、張知高、郭金水、李欺頭等各路抗日軍，在臺南日軍從事游擊戰，爲日軍各個擊破，退入深山。

六、七月，陳瑞榮、林涼、曹樹等，在桃子園起事，敗退。另林天義、梁接盛、許本、鄭美等在大坵園起事，亦敗。

八月，吳萬興等二百餘人，在萬丹與日憲、警戰鬥，敗退，分散各地。

九月，盧阿野、林卿等百餘人，在金包里與日軍戰，敗退入山。另徐祿、陳嗜匏、鄭文流等三百餘人，在擺接堡，下溪洲與日軍戰，因後援不繼，敗退。同時陳旺等二百餘人在五甲尾莊，襲擊阿公店署，因後援不繼，敗退。又黃國鎮、林添丁等二百人，在嘉義東堡，圍攻日軍，獲勝，退入山中。

十月，黃國鎮、林添丁等二百餘人，在嘉義襲擊日憲兵隊，

清	光緒二五	一八九九	獲勝。另林少貓、吳萬興、廖泉、鄭家定等四百餘人，在鳳山與日軍戰，敗退。同時高乞等三百餘人，攻店仔口辨務署，予日軍重創後，日軍死亡甚衆，自動退走。又翁大臭等數百名在歸仁與日軍激戰。 十一月，洪天賜、吳主福、楊淵泉、柯添等十四名，在拔子林截殺日憲兵數人。另陳貓來等六人，在善化里東堡被日憲、警襲擊，皆遭殺害。同時黃棕等數十名在三塊厝，攻警察派出所，因無援，敗走。又潘文健等二百餘人在高樹莊與日軍激戰，重創之。 十二月，魏開等四百名，在臺南援巢莊與日軍激戰，敗退。另林少貓等百餘人，在阿猴攻擊潮州辨務署及憲兵屯所，重創日軍，因後援不繼退散各處。又盧松元、陳福傳、薛崎之等一千人，在恒春圍攻恒春城，後援不繼，解圍而去。 一—二月，蔡水、蔡老典、陳才、陳良、鄭阿春、陳子仁

等，在彰化屢向日軍襲擊，因彈糧不繼，且無後援，解散。另張維、張泉、李千秋、劉力等，在嘉義東堡與日軍激戰，敗退。

明治三二

三月，簡大獅、羅錦春、徐祿、李養等一千人，在金包里，堡礦溪會攻憲兵屯所，因日軍增援，敗退山中，從事游擊戰。

四月，黃茂松、田漢、田廣等在水底寮從事游擊戰。

五月，簡大獅、羅錦春、徐祿、李養、李豹成等三千人，在金包里、竹子山、石碇堡石灼莊，擬分攻二路，一取滬尾士林、一取基隆，因事洩，又補給不繼，敗退山中。

九月，詹番等四百餘人，在文山堡、安坑、車仔路，從事游擊戰，不敵時則退入番地，使日軍無法追擊。另蘇定、賴棕、呂子儀、許金英、謝烏番等，從事游擊戰，不敵時則退入番地，同樣日軍無法追擊。又簡大獅、羅錦春等百餘人，在金包里與日軍戰，不敵敗退山中。

十二月，簡大獅、詹番所部，在北埔與當地居民合擊北埔憲兵屯所，因乏人械，敗退入番地。

清

光緒二六

一九〇〇

明治三三

一月，柯萬力等百餘人，在新港攻警察派出所及稅關出張所，敗退。

二月，林火旺、施矮九等三百餘人，在宜蘭起事，敗退。其後，林火旺等一派終無所舉動。

三月，田廷、胡組漢等數百人，在臺南番仔山從事游擊戰。

四月，劉榮、張輝貫、張智尙等數百人，在打貓水底寮與日軍開戰，因無援退入山中。

八月，張大獻、張呂赤等二百餘人，在觸山上坪頂，謀取斗六辦務署，事洩，退入山中。

十月，陳賜、陳子寥等二百餘人，在林杞埔、樟湖山從事游擊戰，謀先取集集，再攻臺中，事洩，不果。

十二月，簡大獅、詹番、蔡龍、徐本等一千五百八十名，在臺灣北部，攻擊日方編成軍、憲、警十餘隊，分內、外圍

清	光緒二七	一九〇一 明治三四	線，擬一舉掃滅北部抗日勢力，惟抗日軍亦分分十四路，激戰半月餘，潰散。 二月，詹阿瑞、詹阿舍、賴阿來、莊錄、陳阿金等三百餘人，在大墩。臺中，兵分三路，一攻衛戍病院，一攻北門砲兵隊，一攻大墩街北端，頗有展獲。 八月，張呂赤、張呂良、張呂莿等百餘人，在北斗襲擊北斗辦務署沙河崙警察支署，因無後援，退入山中。 十一月，黃茂松、賴福來、陳堤、簡施玉、劉榮等七、八百人。在樸仔脚，分三隊攻擊日軍，破壞其郵局電信設備，並重創日軍，因無後援，敗退。 十二月，黃國鎮、林添丁之所部三百餘人，在竹頭崎與日軍遭遇戰，擊敗日軍。
清	光緒二八	一九〇二 明治三五	四月，阮振、林添丁、黃國鎮等，在嘉義前，後大埔等地，日軍大舉圍攻此諸抗日軍之根據地，抗日軍幾全消滅。 五月，林少貓、吳萬興等，在後壁林，日軍大舉圍攻，抗

			日軍被滅。
清	光緒三三	一九〇七 明治四〇	十一月，蔡清林等數十人在北埔，十四日夜率衆襲擊警察分遣所數處，殺日籍巡查，警部補，十五日再攻北埔支廳，殺支廳長及日人五十七名，日總督聞報立派一百二十人出動，蔡清琳因無周密計畫，且以彈藥缺乏而退入山區，蔡清琳遭殺害，參加者亦多被捕而九人被處死刑。
民國	民國元年	一九一二 大正一年	三月，劉乾、林啓禎等數百人，二十三日襲擊林杞埔（今南投縣，竹山鎮）約十里之頂林派出所，殺日警三人。嗣南投警察所來援，劉乾與林啓禎等八人被處死刑，因此而事敗。 六月，黃朝、黃老鉗等十餘人，在嘉義土庫假託玄天上帝敕令，揚言將有國軍一百萬人前來助戰，鼓動信徒起事反日，不幸因保正之子告密而敗露，黃朝等遭逮捕被處死刑株連甚多。
民國	民國二年	一九一三	二月，沈阿榮、江炳文、徐番等三十餘人，在東勢角發展

組織抗日，因受羅福星屬下吳覺民系，吳、葉等在大湖天后宮集會，事機敗露，全省嚴密搜查，牽連廣闊，以致未舉事即遭破壞而失敗。

大正二年

四月，張火爐、黃炳貴、紀碼等五十餘人，在臺中廳的六甲，鐵砧山脚及新竹的罩蘭招募同志，聯絡山胞，配合臺灣北部羅福星的革命抗日行動，在中部起義，後因苗栗及臺中之革命志士，紛紛被日搜捕，牽連所至，張火爐之幹部黃炳貴、紀碼等黨員，遂一併遭受檢舉而失敗。

六月，李阿齊、吳水龍、黃管等數百人，在臺南關帝廟爲中心，曾與羅福星聯絡，將共圖大舉。後舉失敗露，九志士未及起義，一一被捕，僅李阿齊脫逃而失敗。

十二月，賴來、詹墩、謝輝等八十餘人，集於東勢角待機舉事。賴氏計畫，分三個步驟舉事，一先募集革命同志百人，襲擊東勢角支廳，奪取日人槍彈，以充實力量。二以初步成就，更迅速擴募黨員，再舉直迫葫蘆墩，次及大湖、苗栗，收集日人武器，加強武力裝備。三集中各據點力量，進攻臺中，漸次收復臺灣全島。賴來集合同志，持屠刀在東勢角支廳舉事，殺死值夜佐佐木巡佐，荻原巡查聞聲出視，又爲詹朝墩刺死，賴、詹又繼續開槍射擊支廳長及巡查宿舍，隨後各同志衝入辦公室，破壞電話機，斷絕通信。此時竹內猛警部補等二、三人自宿舍潛出，伏於暗處防守，賴、詹二人旋受暗襲，賴死，詹重傷，各同志潰敗，被逮捕者有謝石金等二十一人。

十二月，（民國元年十月十三日，羅福星奉 國父之命來臺發展革命組在苗栗設立支部；並在臺北、桃園、彰化、臺南、基隆及宜蘭等地設立分部。分遣江亮能、黃國霖、黃光樞、謝德香、傅清風、黃員敬等十二人爲募集員，招募志士，不到一年的時間，就已經有革命黨員十二萬餘人，亦有說九萬五千人），由於羅氏在臺發展組織迅速，同志衆多，深有樹大招風之感；再加上沈阿榮、張

民國		
		火爐、李阿齊、賴來等外組織先後失敗，直接影響到羅氏在臺之革命組織。日人臺灣總督府得訊，異常震驚，遂下令大捕革命黨人，因此組織遭受破壞，事後羅福星被捕判處死刑，被珠連的同志高達一千二百人，由於剩下之革命組織無人領導，同時風聲緊，分別遣散而告失敗。
民國三年	一九一四 大正三年	八月（農曆七月）羅阿頭（又名臭頭）在六甲支廳同日人發生槍戰，結果羅等以彈盡援絕不支，自殺於山中，被捕者多人，後經日人審判，處死刑者八人，無期徒刑者四人，有期徒刑者十人，因此而失敗，此之爲六甲事件。
	一九一五 大正四年	八月，余清芳、江定、羅俊三人結合在西來庵（又稱噍吧哖）抗日，先攻甲仙埔支廳之大坵園、十張犂、阿里關派出所，並佔據虎頭山，進襲噍吧哖（玉井）支廳與日警交戰，日人死傷頗重，余清芳等因武器不足，形勢不利而敗退。日軍因恨當地居民袒護義軍，加以報復，

民國		
		竟開機槍屠殺噍吧哖庄，數千名民衆遭受殺害，死狀極慘！此役義軍死難者達萬人以上，受審株連者亦達一千九百五十人，犧牲之慘烈，較「苗栗事件」尤甚，堪稱有史以來世界最大「刑案」。
民國一九年	一九三〇 昭和五年	十月，山地唯一知識青年—花岡一郎（臺中師範學校畢業）平素不堪日警奴役壓迫在他領導之下，組續一支約有三百個壯丁的青年隊，乘霧社公學校舉行聯合運動會時，一齊衝入運動場，見日人便殺，在場之日人無一人幸免。另一方面由馬赫坡社首領莫那道親率壯丁，老年山胞，襲擊霧社警察分室、郵政局、教員及警察宿舍等處，共殺日人一百三十四人，傷二百一十五人，因而釀成驚動日本朝野，轟動中外的霧社事件。 　霧社事件發生後，日總督府即自臺北、新竹、臺南集大批軍警，甚至出動飛機、大砲炸射轟擊。另用人道所不允的毒氣瓦斯進行屠殺，歷時兩月，義胞全部殉難，

沒一人投降全部捐軀成仁，莫那道、花岡一郎、花岡二郎和族人二十餘人，均自縊於附近山林中，死事之壯烈，足可驚天地而泣鬼神，抗日事件雖然失敗，但其精神永留人間。

霧社事件後，在臺灣雖未再有大規模之抗日活動，但臺灣志士青年參加祖國革命，內渡者比比皆是，最有名的如翁俊明、杜聰明、林祖密等志士，同時在祖國求學之臺籍青年所組織之反日革命性組織，遍及國內各地，如北京、上海、厦門、南京、廣東等。

編者附註

本表，作者係依據「臺灣通志」革命志抗日篇，陳澤主編，臺灣前期武裝抗日有關檔案，陳三井著，國民革命與臺灣，楊碧川著，臺灣歷史年表，張正昌著，林獻堂與臺灣民族運動等有關臺灣史料編製而成，翻閱本表有助於了解臺灣自日據後有系統的前後發生之抗日事件，作爲研究此一階段臺灣抗日史的參考。

附錄二：

日據臺灣時期分區抗日重要事件

北部

（一）金包里事件（一八九五、一一、三一）
（二）臺北城事件（一八九五、一二、二八）
（三）四份仔事件（一八九五、一二、二九）
（四）芝山巖事件（一八九六、一、一）
（五）宜蘭事件（一八九六、一、一）
（六）礁溪事件（一八九六、一、一七）
（七）平頂山事件（一八九六、一、二三）
（八）五指山事件（一八九六、二、一〇）
（九）暗坑事件（一八九六、三、三）
（十）厚德崗事件（一八九六、一〇、一六）
（十一）隘丁圍事件（一八九七、二、二一）
（十二）小礁溪事件（一八九七、四、一）
（十三）臺北城事件（一八九七、五、八）
（十四）礁溪事件（一八九七、五、一八）
（十五）草山凹事件（一八九七、三、二八）
（十六）福德坑事件（一八九七、六、二六）
（十七）竹仔山事件（一八九七、七、一六）
（十八）五峰山事件（一八九七、八、七）
（十九）五頭溪事件（一八九七、八、二一）
（二十）五指山事件（一八九七、八、二三）
（二十一）王桂寮事件（一八九七、九、四）
（二十二）外員山事件（一八九七、一一、一九）

(二三)叭哩港事件（一八九七、一二、一九）
(二四)四　城事件（一八九七、一、一五）
(二五)　仔寮事件（一八九八、一、二一）
(二六)大尖山事件（一八九八、一、二二）
(二七)磺溪頭事件（一八九七、三、一〇）
(二八)七星山事件（一八九八、五、三〇）
(二九)文山堡事件（一八九八、九、二六）
(三十)四城庄事件（一八九八、一〇、一五）
(三一)五十份事件（一八九八、一一、一一）
(三二)北山事件（一九〇七、五、一四）
(三三)北埔事件（一九〇七、五、一四）

中部

(一)太平頂事件（一八九六、六、一三）
(二)林杞埔事件（一八九六、六、二八）
(三)雲林事件（一八九六、六、三〇）
(四)南投事件（一八九六、七、三）
(五)北斗事件（一八九六、七、四）
(六)員林事件（一八九六、七、八）
(七)鹿港事件（一八九六、七、八）
(八)埔里社事件（一八九六、七、一三）
(九)太平頂事件（一八九六、一二、二）
(十)葫蘆墩事件（一八九七、九、一）
(十一)掩古庄事件（一八九七、九、五）
(十二)羅厝事件（一八九七、九、一三）
(十三)雲林事件（一八九七、一〇、五）
(十四)路厝口事件（一八九七、一〇、一三）
(十五)東勢坑事件（一八九七、一一、二五）
(十六)觸山口事件（一八九七、一二、三）
(十七)大鞍山事件（一八九七、二、一七）
(十八)鹿港事件（一八九八、一一、一二）

(十九)大安溪事件(一八九八、一一、二五)
(二十)樟湖庄事件(一八九九、二、八)
(二十一)苗栗事件(一八九九、一〇、二六)
(二十二)臺中事件(一九〇一、二、一)
(二十三)油車事件(一九〇一、六、六)
(二十四)林杞埔事件(一九一二、三、二三)
(二十五)土庫事件(一九一二、五、二二)
(二十六)苗栗事件(一九一三、一二、一五)
(二十七)霧社事件(一九三〇、一〇、二七)

南部

(一)前大埔事件(一八九六、七、一〇)
(二)大武壠事件(一八九六、七、二〇)
(三)阿猴事件(一八九六、九、二二)
(四)溫水溪事件(一八九七、八、二五)
(五)東港事件(一八九七、三、一五)
(六)潮州事件(一八九七、四、二五)
(七)阿公店事件(一八九七、五、二四)
(八)鹽水港事件(一八九七、一一、三一)
(九)番仔山事件(一八九七、一二、七)
(十)觀音里事件(一八九八、七、五)
(十一)西螺事件(一八九八、八、一)
(十二)浮圳事件(一八九八、八、五)
(十三)櫓寮事件(一八九八、八、一四)
(十四)焚仔內事件(一八九八、八、一七)
(十五)阿猴事件(一八九八、七、一八)
(十六)三脚寮事件(一八九八、九、一五)
(十七)竹頭崎事件(一八九八、九、一七)
(十八)松仔脚事件(一八九八、一〇、一四)
(十九)店仔口事件(一八九八、一〇、二〇)
(二十)番仔山事件(一八九八、一一、二五)

(十一)關帝廟事件（一八九八、一一、三〇）
(十二)阿猴事件（一八九八、一二、二七）
(十三)潮州事件（一八九八、一二、二八）
(十四)恆春事件（一八九八、一二、二九）
(十五)四角庄事件（一八九九、一二、一一）
(十六)番仔山事件（一九〇〇、一、一六）
(十七)新營事件（一九〇一、四、三〇）
(十八)樸仔脚事件（一九〇一、一一、二）
(十九)後大埔事件（一九〇一、一二、二）
(二十)灣潭事件（一九〇一、一二、二七）
(二十一)牛稠埔溪事件（一九〇二、四、一五）
(二十二)斗六事件（一九〇二、五、二五）
(二十三)林杞埔事件（一九〇二、五、二五）
(二十四)崁頂厝事件（一九〇二、五、二五）
(二十五)西螺事件（一九〇二、五、二五）
(二十六)他里霧事件（一九〇二、五、二五）
(二十七)林內事件（一九〇二、五、二九）
(二十八)後壁林事件（一九〇二、五、二九）
(二十九)新豐事件（一九〇二、七、八）
(四十)噍吧哖事件（一九一五、七、八）

摘錄：張正昌著：林獻堂與臺灣民族運動。

參考書目

一、史料

國父全集，中國國民黨中央黨史史料編纂委員會編訂：該會印行，民國六十六年版。

興中會革命史料，革命文獻第六十四輯，中國國民黨中央黨史料委員會編輯，民國六十二年十二月。

林道衡主編：余清芳抗日革命案全檔（第一—四輯每輯一—二册）。臺中，臺灣省文獻委員會印行，民國六十三年六月版。

林道衡主編：日據下之臺政（第一—三册）。臺中，臺灣省文獻委員會印行，民國六十六年四月十日修正版。

洪敏麟主編：雲林、六甲等抗日事件關係檔案（全一册）。臺中，臺灣省文獻委員會印行，民國六十七年十二月。

莊金德、賀嗣章編譯：羅福星抗日革命案全檔（全一册）。臺中，臺灣省文獻委員會印行，民國六十六年四月十日修正出版。

軍事委員會總政治部臺灣義勇隊名册，國防部史政局藏。新生報編，臺灣年鑑，民國三十六、五十四年版。

臺灣省文獻委員會編：臺灣省通志（卷三）政事志—司法篇（第一册），（卷五）教育志—教育設施篇（第一册），（卷九）革命志—抗日篇（全一册）。臺中，該會印行，民國五十九年六月三十日，六十年六月三十日分別出版。

臺灣革命同盟會會章，油印件，中央黨史會藏。

蔣總統思想言論集—書告，㈡演講，蔣總統思想言論集編輯委員會編：中央文物供應社印行，民國五十五年十月三十一日出版。

臺灣前期武裝抗日運動有關檔案。臺灣省文獻委員會：臺中，民國六十六年。

羅家倫編：　國父年譜，中國國民黨中央黨史史料編纂委員會出版，民國五十八年十一月增訂本。

二、專　著

大森八景坂著、周憲文譯：日本帝國主義下之臺灣（原東京一九二九年出版）臺灣銀行印行，民國五十三年十二月。

方　豪著：臺灣民族運動小史。正中書局，民國四十年六月臺初版。
尹章義著：臺灣近代史論。臺北，自立晚報，民國七十七年一月三版。
王曉波著：臺灣史與近代中國民族運動。臺北，帕米爾書店，民國七十五年十一月初版。
王曉波編：臺灣殖民地傷痕。臺北，帕米爾書店，民國七十四年八月第一版。
王曉波編：臺胞抗日文獻選編。臺北，帕米爾書店，民國七十六年六月再版。
王曉波著：被顛倒的臺灣歷史。臺北，帕米爾書店，民國七十五年十一月。
王曉波著：臺灣史與臺灣人。臺北，東大圖書公司印行，民國七十七年十二月。
王詩琅譯：日本殖民地體制下的臺灣。臺中，衆文圖書公司印行，民國六十九年十二月初版。
王詩琅譯：臺灣社會運動史—文化運動。臺北，稻香出版社，民國七十七年五月。
王乃信等譯：臺灣社會運動史（一—五册）創造出版社，一八九七年六月第一版。
印家文著：臺灣民間風俗與信仰。臺中，臺灣省新聞處印行，民國七十六年十月出版。
古屋奎二編著：日本產經新聞發表，蔣總統秘錄（第六册），中央日報譯印，民國六十四年三月二十九日初版。
古亭書屋編纂：臺灣三百年史。衆文圖書公司出版，民國七十年十二月再版。
史　明撰：臺灣四百年史。自由時代週刊社，出版年月不詳。

矢內原忠雄著：陳茂源譯，日本帝國主義下之臺灣（全一册）。臺中，臺灣省文獻委員會印行，民國六十六年四月修正版。
江炳成著：古往今來話臺灣。臺北，幼獅文化事業公司，民國七十三年十一月三版。
朱傳譽編：中國國民黨與臺灣（畫刊）。臺北，中國國民黨中央委員會黨史會出版。民國五十三年十一月。
李雲漢著：國民革命與臺灣光復的歷史淵源。臺北，幼獅文化事業公司發行，民國六十九年七月三版。
李能棋著：結義西來庵—噍吧哖事件。臺北，近代中國出版社，民國六十六年十月二十五日初版。
杜元載編：革命先烈先賢爲黨犧牲奮鬥事蹟（第一册）。臺北，中央文物供應社印，民國六十年十一月出版。
杜聰明著，張玉法、張瑞德主編：回憶錄（第一輯上下册）。臺北，文龍出版社股份有限公司印，民國七十八年六月十五日初版。
何應欽著：八年抗戰與臺灣光復。臺灣彩色製版印刷服務中心，民國三十九年十月十日四版。
何聯奎、衞惠林編著：臺灣風土誌。台灣中華書局印行，民國六十七年七月臺出版。

宋念慈編：日據時期臺灣革命事略。臺北，中央文物供應社印，民國四十五年一月出版。
林熊祥著：臺灣史略。臺北，青年出版社，民國六十二年四月出版。
林崇智編：臺灣抗日忠烈錄（第一輯）。臺中，臺灣省文獻委員會印，民國五十四年出版。
林衡道口述、鄭木金記錄：臺灣史蹟源流。臺北，青年日報印，民國七十六年二月出版。
林衡道著：臺灣開拓史話。臺北，青文出版社印，民國六十五年二月初版。
林　曜編：民族精神在臺灣。彰化，彰化社會教育館印，民國六十四年三月修正版。
柯惠珠著：日據初期臺灣地區武裝抗日運動之研究。高雄，前程出版社，民國七十六年四月初版。
侯錫麟著：大陸與臺灣。臺北，建國出版社，民國四十九年五月出版。
馬銳壽著：臺灣史（全一册），（自刊本），民國三十八年九月。
連　橫著：臺灣通史。臺北，幼獅文化事業公司印行，民國六十八年八月四版。
連溫卿著：臺灣政治運動史。臺北，稻香出版社，民國七十七年十月。
國立歷史博物館編：中華民族在臺灣。臺北，該館印行，民國六十一年七月初版。
梁舒里選輯：臺灣抗日革命史略。臺中，自行出版社印，民國六十一年十二月。
教育部社教司選輯：歷史人物故事。臺北，正中書局印，民國六十四年臺三版。

高越夫著：中華民國大事記要。臺北，中外圖書出版社，民國六十年十一月再版。
陳三井著：國民革命與臺灣。臺北，近代中國出版社，民國六十九年十月二十日初版。
陳三井著：臺灣近代史實與人物。臺北，臺灣商務印書館印，民國七十七年七月初版。
陳奇祿等合著：中國的臺灣。臺北，中央文物供應社，民國六十九年十一月出版。
陳　澤編：臺灣先賢先烈專輯（第二輯）、余清芳傳。臺中，臺灣省文獻委員會印，民國六十七年六月出版。
陳　澤編：臺灣先賢先烈專輯（第三輯）。臺中，臺灣省文獻委員會印，民國六十七年二月出版。
陳冠學著：老臺灣。臺北，東大圖書有限公司印，民國七十年九月初版。
曹永和著：臺灣早期歷史研究。臺北，聯經出版事業公司，民國六十八年七月初版。
張正昌著：林獻堂與臺灣民族運動。臺北，通美彩色印刷有限公司，民國七十年六月初版。
張炎憲編：歷史文化與台灣（上下册）。台灣風物雜誌社印行，民國七十七年十月出版。
商哲明著：臺灣同胞與日本人。臺北，星光出版社，民國七十六年四月初版。
黃朝琴等著：國民革命與臺灣。臺北，中華文化出版事業委員會，民國四十四年九月。
黃大受著：臺灣史綱。臺北，三民書局印，民國七十一年十月初版。

黃大受著：臺灣史要略。臺北，大中國圖書公司，民國六十六年十月出版。
黃大受著：臺灣的根。臺北，中央文物供應社印行，民國六十九年九月出版。
黃富三、曹永和主編：臺灣史論叢。臺北，衆文圖書公司印行，民國六十九年四月初版。
馮作民著：臺灣歷史百講。臺北，國語日報社印行，民國六十九年十月第五版。
曾石碩著：國父與臺灣的革命運動。臺北，幼獅文化事業公司，民國六十七年三月出版。
覃怡輝著：羅福星抗日革命事件研究。中央研究院—三民主義研究所叢刊(6)，民國七十年九月。
程大學著：臺灣開發史。臺中，臺灣省政府新聞處發行，民國七十五年十月再版。
喜安幸夫著：臺灣抗日秘史。臺北，武陵出版社，民國七十三年元月初版。
喜安幸夫著：日本統治臺灣秘史。臺北，武陵出版社，民國七十三年一月初版。
喜安幸夫著：臺灣志士抗日秘史。臺北，聚珍書局，民國七十一年十一月初版。
漢　人著：臺灣革命史（全一册）。臺北，文海出版有限公司，民國四十二年出版。
楊碧川著：簡明臺灣史。高雄，第一出版社，民國七十六年十一月初版。
楊碧川著：臺灣人反抗史。臺北，稻香出版社，民國七十七年十一月。
楊碧川著：臺灣歷史年表。臺北，自立晚報出版部，民國七十七年六月。

劉寧顏編：臺灣史蹟源流。臺中，臺灣省文獻委員會印行，民國七十年十一月出版。
程村保三郎著：臺灣小史。東京，日本出版配給株式社會，昭和二十年一月二十五日出版。
臺灣史蹟研究會彙編：臺灣叢談。臺北，幼獅文化事業公司印行，民國六十七年十月再版。
臺灣總督府編：臺灣匪誌。（臺灣省文獻委員會藏）
臺灣總督府編：臺灣匪亂小史。（臺灣省文獻委員會藏）
賴　淮著：臺灣與大陸。臺北，陽明出版社，民國五十三年三月初版。
賴永祥著：臺灣史研究—初集。臺北，三民書局有限公司，民國五十九年十月初版。
蔣君章著：臺海風雲人物。臺北，中外圖書，民國六十四年十二月初版。
蔣君章著：臺灣歷史概要。臺北，中外圖書出版社，民國六十年十一月再版。
蔣子駿著：羅福星與臺灣抗日革命運動之研究。鳳山，黃埔出版社，民國七十年十二月出版。
蔣子駿撰：臺灣與大陸的歷史關係。黃埔出版社，（第四五三期）民國七十九年元月十六日。
謝東閔等著：國民革命與臺灣。臺北，中央文物應社，民國六十九年五月出版。
蔡培火等著：臺灣民族運動史。臺北，自立晚報印，民國七十二年十月。
羅秋昭著：羅福星傳。臺北，黎明文化事業公司印，民國六十三年二月初版。
羅秋昭著：大湖英烈—羅福星傳。臺北，近代中國出版社印行，民國六十七年八月三十一日出版。

魏紹徵編：國民革命與臺灣。臺北，中央文物供應社，民國四十五年八月。

吳濁流著：黎明は前の臺灣：殖民地かるの告發。東京社會思想社，一九六一年。

吳濁流著：るシるの孤兒：日本統治下の臺灣。東京新人物往來社，昭和四十八年。

臺灣同化會編：臺灣同化會す對る 名士所惑。東京，臺灣同化會，出版年月不詳。

泉風浪著：臺灣の民族運動。臺中，臺灣圖書印刷合資會社，昭和三年。

宮川次郎著：臺灣の政治運動。臺北，臺灣實界社，昭和六年。

宮川次郎著：臺灣の社會運動。臺北，臺灣實業界社，昭和四年。

許世楷著：日本統治下の臺灣—抵抗之彈壓。東京大學，一九七〇年版。

〃Japanese Colonial Edcation in Taiwan〃Turumi E〔Harvard N〕

〃Advice For Japan As An Asian Neighbor〃University Dec 1982

〃The Japanese and Sunyat-Sen〃Marius B〔Harvard University Press Mass 1954〕

〃The Taiwan Literuticand Early Japanese Rule（1895－1915 Lamley T·I university of Washington·

三、論　文

王成聖撰：羅福星與烈女張佑妹，傳記精華（第四集）。臺北，中外圖書出版社印，民國六十二年三月出版。

王曉波撰：三月三日斷腸人。中國時報，民國六十七年三月三日，第十二版。

王一剛撰：日據初期的習俗改良運動。臺北文物，九卷二期，民國四十九年十一月。

王詩琅撰：日據初期的懷柔政策。臺北文物，十卷一期，民國五十年三月。

王詩琅撰：日據初期的籠絡政策。臺灣文獻，二六卷四期，民國六十五年三月。

王詩琅撰：日本佔據臺灣時期統治政策的演變。中華文化復興月刊，八卷十二期，民國六十四年十二月。

王壽南撰：日本侵華與臺胞抗日的歷史評價。中央日報（第十版）民國七十一年十二月五—十二日。

尹義章撰：臺灣建省當然在光緒十三年。中國時報，第二版，民國七十三年十一月十一日。

中華日報（第二版—杜論），中國國民黨與臺灣。民國七十七年十一月二十三日。

李雲漢撰：國民革命與臺灣。中央日報（第十四版），民國七十年十月二十五日。

沈覲鼎撰：日本治臺苛政眞相概述，傳記文學（第四十六卷第五期），民國七十四年五月一日。
林朶兒撰：保臺抗日培養革命志士的—丘逢甲。中央日報（第十一版）民國六十七年十一月二十一日。
吳思珩撰：國民革命與臺灣。臺灣文獻，第二十六卷第四期，第二十七卷第一期合刊，民國六十五年三月。
洪敏麟主講、洪英聖編寫：法國「迫使」臺灣「省」誕生。新生報（第二十二版）民國七十七年七月二十一日。
柯惠珠撰：辛亥革命與臺灣。博愛雜誌（第七卷第五期）民國七十五年十一月一日。
連曉青撰：苗栗革命事件的初步檢討。文獻專刊第二卷第三、四期，民國四十年十一月。
連　戰撰：國民革命與臺灣。近代中國，民國六十六年九月三十日。
曹景雲撰：國父與臺灣。中央日報（第十版），民國七十年二月二日。
莊　政撰：國父與臺灣。中央日報（第十一版），民國六十九年三月十六—十七日。
莊　政撰：臺灣同胞對　國父的懷念。中央日報（第五版），民國七十四年三月十日。
莊　德撰：余清芳革命殉難烈士名錄。南瀛文獻，第四卷下期，民國四十七年六月。
黃玉齋撰：臺灣抗日史論麟爪。臺北文物季刊，第六卷第二期，民國四十六年十月。

曾石碩撰：李阿齊領導之抗日運動。南瀛文獻，第四卷下期，民國四十七年六月。
曾石碩撰：民初臺灣的恢復運動。近代中國双月刊，民國六十九年十月三十日。
黃純青撰： 國父與臺灣。新生報特刊，民國三十九年十月十日。
黃季陸撰：有關臺灣與中國革命史料。傳記文學，第十一卷第五期。
葉炳輝撰：杜聰明博士傳。國語日報—書和人，民國五十四年六月。
廖漢臣撰：與中會臺灣分會與容祺年。臺北文物（第四卷第三期），民國四十四年十一月。
陳三井撰：臺灣與大陸一體的關係。中央日報（第十一版），民國六十七年十月二十四日。
陳三井撰：羅福星與中國革命。中央日報（第五版），民國七十一年二月七日。
陳三井撰：羅福星暨臺灣志士與辛亥革命。傳記文學，（第三十八卷第四期），民國七十年四月。
郭嘉雄撰：日據時期臺灣法制之演變歷程及其性質。臺灣文獻（第二十五卷第三期）民國六十三年九月。
許漢昇撰：噍吧哖慘史不能忘。中華日報（第七版），民國七十七年十月二十四日。
曾石碩撰：與中會臺灣支會史實。（上下篇），文藝復興，第六三、六四期，民國六十四年六、七月。

黃季陸撰：中國國民黨與臺灣。中央日報（第十一版），民國五十八年十一月二十四日。
黃得時口述，沈湘燕、黃湕榕整理：日據時代的那道窄門。中央日報（第十七版）民國七十七年八月二日。
黃得時演講、李仲秋記錄：臺胞的抗日與民族文化的維護。新生報（第七版），民國七十六年八月二十四—二十五日。
陳三井撰：革命先進與臺灣。中央日報（第十版），民國六十六年十月二十三—二十五日。
劉本炎訪問蔡培火、戴炎輝等五位元老：臺灣光復三十五週年口述歷史座談會記實。近代中國双月刊，民國六十九年十月三十日。
蔣君章撰：臺灣革命先烈—羅福星。傳記文學（第三集），民國六十三年四月。
蔣君章撰：從血緣看臺灣與大陸。中央日報（第十五版），民國七十年十月二十五日。
蔣子駿撰：革命先烈—羅福星。博愛雜誌（第七卷第五期），民國七十三年九月一日。
蔣子駿撰：日據臺灣時代—西來庵抗日事件。博愛雜誌，（第九卷第三期）民國七十五年五月一日。
蔣子駿撰：臺灣與大陸的血緣關係。黃埔出版社，（第四四八期）民國七十八年八月十六日。
蔣子駿撰：臺灣與大陸的地緣關係。黃埔出版社，（第四五〇期）民國七十八年十月十六日。

蔡棟雄撰：大醫師杜聰明傳奇（第四十卷第四期），民國七十八年十月。
羅秋昭撰：臺灣黃花岡。中央日報（第十版），民國六十八年三月七日。
羅秋昭撰：謝家兄弟。中央日報（第十版），民國六十八年五月二十七日。
羅秋昭撰：革命良醫江亮能。中央日報（第十版），民國六十八年六月二日。
羅秋昭撰：抗日先烈—羅福星。近代中國（第十九期），民國六十九年十月三十日。
羅秋昭撰：革命同窗葉紹安（羅福星抗日革命事蹟志趣）。聯合報（第二十二版），民國七十一年四月六日。

二十畫

十五畫

十三畫

十四畫

十二畫

十一畫

十畫

九畫

七畫

八畫

六畫

索　引